VIE DE MA VOISINE

DU MÊME AUTEUR

Les Filles, Gallimard, 1987 ; Folio n° 2978.

Madame Placard, Gallimard, 1989.

Loin du paradis, Flannery O'Connor, Gallimard, «L'Un et l'Autre», 1991, «Petite Bibliothèque de l'Olivier», 2002.

Petite, Éditions de l'Olivier, 1994 ; Points n° P187.

Week-end de chasse à la mère, Éditions de l'Olivier, 1996 (prix Femina 1996) ; Points n° P446.

Voir les jardins de Babylone, Éditions de l'Olivier, 1999 ; Points n° P721.

Pour qui vous prenez-vous ?, Éditions de l'Olivier, 2001 ; Points n° P993.

La Marche du cavalier, Éditions de l'Olivier, 2002 ; Points n° P2866.

Les Sœurs Delicata, Éditions de l'Olivier, 2004.

V. W. (avec Agnès Desarthe), Éditions de l'Olivier, 2004 ; sous le titre : *La Double Vie de Virginia Woolf*, Points n° P1987.

52 ou la seconde vie, Éditions de l'Olivier, 2007 ; sous le titre : *Les filles sont au café*, Points n° P2353.

Une année avec mon père, Éditions de l'Olivier, 2010 ; Points n° P2617.

Moi, j'attends de voir passer un pingouin, Alma éditeur, 2012 ; 10/18 n° 4507.

Dans les yeux des autres, Éditions de l'Olivier, 2014 ; Points n° 4145.

GENEVIÈVE BRISAC

VIE DE MA VOISINE

BERNARD GRASSET
PARIS

Photo de couverture : DR.

ISBN : 978-2-246-85845-4

« Des années de contact avec la peau humaine donnent au bois le plus grossier une teinte noble et semblable à l'ivoire. Il en va de même pour les mots.

Il faut leur appliquer une paume tiède et ils se transforment en un trésor vivant. »

Isaac BABEL

« Non pas la seule raison, non pas la passion seule, mais l'une et l'autre ensemble, unissant leurs insuffisantes clartés pour explorer ce gouffre inconnu, le malheur des autres. »

Germaine TILLION

Pour Nadia
Pour Alice
Pour Olivier

Vous qui passez…

Dans la cour, il y a un cerisier au milieu d'une pelouse, on est saisi par l'atmosphère douce et très calme. Un merle sautille sur les pavés. Je transporte des cartons. Je viens d'emménager ici. Je remplis la cave de vieux papiers que je ne relirai jamais. Je crains les caves, je ne m'y hasarde que sous la contrainte. Celle-ci a la porte arrachée, un sol suintant. Un fil électrique se balance au milieu de nulle part, je n'y redescendrai pas de sitôt.

J'entasse de la vaisselle ébréchée, des tasses fendues, des bibelots chinois et de vieux manteaux habités par les mites, des choses que je n'ai pas osé jeter, et qui, dans cette pièce noire, sont encore plus abandonnées.

Je peine à m'enraciner. Je détourne le regard du passé qui se fait poussière, mais quoi regarder, alors ? Convoquant ceux qui sont morts ou celles que l'on ne verra plus, les déménagements ont la violence des deuils.

Je fuis le passé, le regard perdu. Alors, devant l'ascenseur de l'escalier D, quelqu'un surgit.

Je voudrais vous parler, dit-elle avec timidité.

Elle a un petit mouvement de recul et j'en ai un moi-même, nous avons peut-être en commun la peur d'être de trop et de déranger. (Ou alors serait-ce que nous n'aimons pas qu'on nous envahisse, qu'on nous dérange.)

Elle a senti mon léger mouvement. Toutes deux nous faisons un effort. Je veux vous parler de Charlotte Delbo, dit-elle, très vite. Je vous ai entendue l'évoquer à l'occasion de son centenaire, et je la connaissais.

Ma peau s'est hérissée sur mes bras.

Charlotte Delbo m'envoie des signaux. Je devine qu'il va me falloir du temps pour les interpréter. Je me souviens qu'elle écrivait : chaque jour un peu plus je remeurs, je reviens d'un autre monde, dites-moi : suis-je revenue de l'autre monde ? Pour moi, je suis encore là-bas et je meurs là-bas, chaque jour un peu plus.

Or la voici : intensément présente dans la cour.

Alors, quelques jours après notre rencontre, je suis montée chez ma voisine dans l'espoir de m'approcher davantage de notre amie commune.

C'était un dimanche de juin. Elle avait préparé des papiers évoquant la matricule 31661, déportée à Auschwitz-Birkenau le 24 janvier 1943, son énorme rire, sa droiture, son énergie, son goût de la vie, des voyages. Son destin.

En redescendant, j'ai affiché sur le mur un de ses poèmes.

Il dit :

Vous qui passez, habillés de tous vos muscles,
je vous en supplie : faites quelque chose,
apprenez un pas, une danse,
quelque chose qui vous justifie,
qui vous donne le droit d'être habillé de votre
*   peau, de votre poil.*
Apprenez à marcher, et à rire,
parce que ce serait trop bête à la fin que tant
*   soient morts*
et que vous viviez sans rien faire de votre vie.

Dans le camp de la mort d'Auschwitz et à Ravensbrück, Charlotte Delbo avait juré à ses camarades qu'elle raconterait plus tard les choses de la vie quotidienne. Même si, chaque jour, elle devait lutter pour persévérer dans la volonté de vivre, l'envie l'en ayant quittée. Elle a dit cette détermination qui les tenait comme un délire, d'endurer, de persister, de sortir pour être la voix qui reviendrait et qui dirait, la voix qui ferait le compte final.

Du temps passe. Dans la cour, le cerisier a refleuri. Le merle moqueur sautille sur la pelouse. Les enfants font d'énormes bulles de savon et sautent à la corde. La vie explose.

> *Et puis, mieux vaut ne pas y croire*
> *À ces histoires de revenants*
> *Plus jamais vous ne dormirez*
> *Si jamais vous les croyez*
> *Ces spectres revenants*
> *Ces revenants qui reviennent*
> *Sans pouvoir même*
> *Expliquer comment.*

Nous ne dormons pas, ma voisine et moi, nous discutons. Nous parlons de Charlotte Delbo, de sa passion de vivre, de son exigence, de son engagement politique aussi. De son style et de sa connaissance de l'inutile, si essentielle justement. Je l'interroge sur sa vie à elle. Mais ma voisine ne veut pas parler d'elle-même, elle craint cela. Le moi moi moi, ça la dégoûte. Elle cite une phrase insolente de Charlotte Delbo : je n'ai pas l'intention de m'ajouter à la cohorte, d'écrire le énième Tartempionne à Auschwitz.

Elle dit : je ne suis personne, pourquoi parler de moi, et pourtant nous parlons d'elle. De la rafle du Vel' d'Hiv, à laquelle elle a échappé, c'était le 16 juillet 1942. Ou plutôt : on va en parler, mais pas tout de suite.

La cour s'est peuplée d'âmes en colère, avec leurs combats perdus et non perdus. Noblesse de l'échec, disons-nous parfois, lasses.

Certaines choses ayant été vécues, on ne peut plus avoir peur de rien. Je ne les ai pas vécues, et oui, j'ai peur. J'y pense énormément, à cette Charlotte Delbo au sourire éclatant, dont quelqu'un m'a dit un jour qu'elle prenait un soin extrême à préparer chacun de ses repas, et j'imagine un napperon, une carafe, deux verres de cristal alignés, celui de l'eau et celui du vin, une serviette en lin, et deux œufs à la coque avec du pain grillé.

Je pense aussi sans cesse à celle qui vit deux étages au-dessus de moi.

Je pense à la lumière et à la fraîcheur qui émanent d'elle.

Un frêle esquif a traversé le siècle.

Ensuite surgissent
Nuchim et Rivka

Un jour d'hiver, je trouve une enveloppe dans ma boîte aux lettres.

Cela me fait un plaisir immense, je ne reçois plus jamais de lettres. Dans ma boîte, la factrice glisse des injonctions, des factures, des impayés, des imprimés, mais de vraies lettres, jamais plus, et c'est triste.

Un papier quadrillé plié en quatre est glissé à l'intérieur de l'enveloppe : une phrase écrite au crayon, de grandes lettres calligraphiées, comme un message secret. Je vois cela comme l'étape minuscule d'une chasse au trésor dont le but m'est inconnu.

Les mots, mis au bout les uns des autres, disent ceci :

« La mort des nôtres, et nous n'y pouvons rien, nous a nourris, non pas de rancœur, non pas de haine, mais d'une énergie que rien ne pourra briser.

« Qu'on ne vienne pas me parler de deuil si ce mot signifie que les tiens s'éloignent. Au contraire, ils sont à tes côtés, pour te donner le courage de vivre et de triompher des épreuves. Ils sont à tes côtés, tu peux compter sur eux. »

Si je devais résumer mes relations avec mes parents, je dirais exactement cela, écrit l'auteur de la lettre.

J'ai recopié ces phrases d'un livre, elles ont été écrites par Scholastique Mukasonga, mais c'est comme si elles avaient été écrites pour moi, par moi, dit l'auteur.

Ces phrases me coupent le souffle, à moi aussi.

Je répète : mes parents sont morts. Ils sont à mes côtés pour me donner le courage de vivre, c'est grâce à eux que je vis ici, dans cette cour, je peux compter sur eux.

La lettre a été déposée par ma voisine, Eugénie, dite Jenny, dite Nini.

Personne ne l'appelle plus Eugénie depuis bien longtemps. Car Jenny est née en 1925. Comme ma mère, à qui elle ne ressemble pas, comme Flannery O'Connor qui n'a rien à faire ici, sinon nous protéger de la banalité et du mal.

Jenny. J'ai parfois le sentiment que la diminution de son prénom procède, comme dans une histoire talmudique, d'un processus d'auto-effacement.

Eugénie, Jenny, Nini, Ni. Où es-tu ? Je suis montée chez elle comme la lettre m'y incitait.

L'escalier sent le cigare au rez-de-chaussée. Ensuite, en gravissant les marches un peu glissantes, je suis prise dans une odeur douce de friture et de légumes trop cuits.

Le tapis effiloché, et rouge, et noirâtre, fait comme un petit chemin au milieu des fissures.

Je me trompe chaque fois de palier. J'imagine que son logement est au-dessus du mien. Et je me perds. Je me perds dans cet escalier de bois étroit qui mène de chez moi à chez elle.

Cela semble simple, et cela ne l'est pas.

Les temporalités et les topographies se mélangent, nous ne savons plus alors quand et où nous sommes. Un autre espace-temps surgit. Comme quand on lit, comme quand on aime, comme au cours de certaines promenades.

Quand je marche avec une amie, j'oublie le monde.

Je sonne. Elle ouvre la porte d'un air résolu. Elle lève la tête avec un sourire espiègle.

Je veux te parler de mes parents, dit-elle. Tu t'en doutais ? Et elle rit.

Je suis entrée, passant dans un autre monde. Un autre temps.

Cela me fait penser que j'avais autrefois la manie de dessiner des portes dans l'espoir de les franchir. Des portes ornées de poignées de cuivre, de bobinettes, de clenches sculptées aux pouvoirs magiques. Des portes ornées de têtes d'animaux. Des portes dessinées à la craie, au crayon, au feutre, au pastel ou au fusain. Qui s'ouvraient parfois.

Sur la table, il y a une photo retournée, face contre bois.

Jenny a mis de l'eau à chauffer dans une petite casserole. Elle est revenue vers moi. Je me suis assise, j'ai regardé son visage sérieux, ses grands yeux, ses longues mains, les deux taches brunes sur sa tempe, la peau fine de ses avant-bras. Puis je me suis relevée et j'ai apporté le plateau de thé, du thé noir, deux tasses et deux soucoupes.

Elle s'est tenue droite, comme pour une cérémonie, et elle a tourné l'image vers moi.

Avec fierté, comme un œuf de Pâques, un bien précieux, la clé de quelque chose.

Eux.

Rivka et Nuchim Plocki.

Plus exactement : Rivka Plocki née Rajsfus, et son mari Nuchim Plocki.

Deux personnes mortes depuis longtemps, lui durant le mois d'août 1942, et elle je ne le sais pas, personne n'en sait le moment exact, à l'âge de quarante-deux ans pour elle, à l'âge de cinquante-deux ans pour lui.

Alors, devant leurs deux visages penchés l'un vers l'autre, face à cet objet banal, une photo de parents en noir et blanc, elle prend la parole.

Mes deux parents étaient polonais, juifs et athées.

Elle a un petit rire dans la voix, le rire de qui se méfie des lieux communs, des mots qui agissent comme des verrous qui se ferment.

Ou comme des étiquettes. Les étiquettes sont une drôle de chose. Juifs, polonais, athées. À chaque syllabe, ici, le monde rétrécit et se fige. La violence et les malentendus grondent.

Oui, on connaît, ne nous cassez pas la tête à radoter sur toujours la même chose. On sait tout ça, on sait tout sur vous. Les Juifs. Les Polonais. Les Athées.

Nous versons l'eau sur les sachets de thé noir.

Elle précise : enfin athées au moment où je les ai connus.

À quel âge rencontre-t-on ses parents ?

À quel âge sait-on ce qu'est un shabbat qu'on ne respecte plus, une prière non apprise, un châle perdu et non transmis, des interdits balancés par-dessus les moulins, tout cela soldé par une blague anticléricale, un geste d'agacement. D'innombrables gestes pour se débarrasser des entraves et plonger dans ce brave XXe siècle. Ce siècle de fer.

J'avale une gorgée de thé noir non sucré.

Rivka Rajsfus a quitté son village à dix-huit ans. Elle a laissé derrière elle une petite maison sombre dans la rue principale du village de Blendow, à soixante kilomètres de Varsovie. C'était en 1918. La guerre était finie. La Pologne était indépendante. La jeune fille rêvait d'aller en Amérique, où étaient partis des oncles. Un vent soufflait, un air inconnu. Elle s'est arrêtée d'abord à Varsovie.

Nous buvons le thé brûlant, assises l'une en face de l'autre, et je vois l'âtre lointain et la suie. La large cheminée et les murs épais, je les invente. Cet arrachement au shtetl, à la religion, à l'obscurantisme, aux superstitions, aux empêchements, est une fierté.

Une fierté qui doit être nommée, car je sens qu'elle s'éloigne comme un bout de bois flotté sur l'eau de la rivière.

Ma mère a eu douze frères et sœurs. Leurs parents étaient profondément pauvres et pieux. Douze frères et sœurs, douze oncles et tantes, du côté maternel, une smala incroyable, difficile à imaginer. Que leur est-il arrivé ?

De mon grand-père maternel, dit Jenny, je ne sais rien sinon qu'il avait une tête de forçat. Tous leurs enfants se sont éloignés de la religion, tous. Certains sont restés en Pologne, et ceux-là sont morts assassinés. Mais beaucoup sont partis. En France ou ailleurs.

J'aimais énormément ma mère, dit-elle.

Passe une image que je ne discerne pas encore précisément. Une admiration immense pour cette femme partie respirer, vivre, et aimer librement. Partie rejoindre le vaste monde pour avoir une vie à elle, parce que c'était comme ça, la soif et la foi dans un monde meilleur, pour les jeunes filles, pour les Juifs, pour les pauvres, pour les Polonais.

Rivka n'a revu qu'une fois les murs noirs et les plafonds bas. Elle a jeté aux orties les journées sans fin, les travaux et les jours, les maternités à répétition, la vie sans espoir, pour être rattrapée pourtant par le destin, quel que soit le nom qu'on lui donne.

En 1918, au moment de la proclamation de la deuxième République de Pologne, elle a adhéré au Bund, un mot allemand qui signifie Alliance et par extension Union. Une organisation marxiste juive révolutionnaire et mythique, cette Union des travailleurs juifs de Lituanie, Pologne et Russie.

Comme les autres militants du Bund, cosmopolites et démocrates, révolutionnaires et athées, Rivka Rajsfus pensait qu'il fallait se méfier des non-Juifs pour faire évoluer la question juive.

Les faits l'avaient déjà montré souvent.

Elle a eu un amoureux bundiste. Est né un bébé qui est mort à seize mois. C'était une période de si grands bouleversements. Les années de révolution. De guerre et de révolution. On ne pouvait pas imaginer une seconde quel bond en arrière allait succéder à cet élan vers le neuf, le fraternel, à cet élan des années vingt, à cette mystique du progrès de l'humanité vers son émancipation.

Rivka est une militante de vingt ans. Personne ne peut entraver sa marche vers la liberté. Elle se dit et se dira toujours luxemburgiste. Que met-elle sous ce mot ? Il me semble que c'est une ressemblance : Rosa Luxemburg est une aînée, un modèle, un idéal. En 1919, elle vient d'être assassinée à Berlin par les Corps Francs de Gustav Noske parce qu'elle était le drapeau vivant de la résistance au nationalisme et à la guerre. Rivka Rajsfus partage son entêtement et son intelligence. Elle partage son féminisme pratique, sa sympathie pour les femmes, son dégoût devant les violences et les injustices qui leur sont faites, et le goût des livres. Je ne sais pas si elle partage son amour des chats, peut-être pas. Elle est la ménagère parfaite que sa mère lui a appris à être au village, parce que la pauvreté enseigne aux filles à se servir de tout ce qu'elles ont sous la main, tout récupérer, ne rien gâcher, être attentives à tous les détails.

Elle aspire à autre chose. Vivre vraiment et vivre libre.

En 1924, elle rejoint Nuchim Plocki dans un hôtel meublé des bords de Marne, à Joinville. Il est là depuis 1920. C'est un jeune homme de haute taille, extrêmement myope, rêveur et doux. Il est né en 1890. Ses parents étaient des commerçants plutôt aisés de la ville de Radom, qui, eux aussi, ont eu un tas d'enfants. Il y a fait des études, a enseigné le russe et le polonais, il parle aussi hébreu, yiddish, français et allemand.

Il a fui la Pologne, où il n'y avait pas de travail, et moins encore pour les Juifs.

Il a fait un tour en Palestine, dans un des premiers kibboutz, mais il ne s'est pas senti bien. Le travail de la terre et le soleil brûlant ne convenaient guère à un jeune professeur de littérature polonaise et russe, plus habitué aux rafales de neige et aux pages imprimées.

Il est revenu en Europe, puis il a essayé en vain de vivre en Autriche à quoi était rattachée la Pologne jusqu'en 1918. Il a débarqué en France en 1920. Il n'avait pas de papiers mais il en a obtenu, puisqu'il avait trouvé du travail. Alors il a pu faire venir la femme de sa vie.

1925. Rivka est enceinte. Elle doit accoucher vers la fin de l'année.

Le 11 décembre, naît un bébé à qui ses parents donnent le prénom d'Eugénie. Evguénia, un nom qui signifie : celle qui aide à tout bien.

En janvier, aux alentours de l'hôtel meublé, la Marne est brutalement montée. Chaque hiver, quand elle monte et déborde et inonde maisons et hôtels, on évacue clients et locataires. Ils sont expédiés en barque vers des hôtels moins exposés.

Un mois plus tard il faut évacuer la mère et l'enfant. L'expédition est mémorable.

Deux ans après sa naissance, la petite fille est dotée de la nationalité française par la loi du 10 août, qui déclare français tout bébé né sur le sol national.

Les parents continuent de travailler à l'usine Menier, ça sent le chocolat dans tout Joinville, mais il y a pire et ils s'y font, lui, le professeur, et elle, la militante qui aurait tant aimé étudier.

Pourtant très vite elle le convainc que l'usine c'est insupportable, le contraire de cette liberté qu'ils sont venus chercher, elle pense qu'il faudrait avoir un petit commerce.

Et ils ouvrent un stand de chaussettes et de bas de laine, des chaussettes par lots de trois, ou de six sur le marché d'Aubervilliers, et s'installent tout à côté, dans la cour d'un petit immeuble en brique rouge, au 1, rue des Sablons. Les affaires ne marchent pas mal.

En 1928, un petit garçon est né, ses parents l'appellent Maurice.

Je dormais dans la chambre unique avec mes parents. On ouvrait le lit-cage de mon frère dans la cuisine. Nous n'étions pas riches, mais tout allait bien.

Le 12 octobre 2015,
nous prenons l'autobus 35

Nous voyageons tout au long de la ligne qui relie la gare de l'Est à la mairie d'Aubervilliers. Nous faisons un pèlerinage rue des Sablons.

Pendant le trajet, nous ne voyons rien d'autre que des chantiers, des montagnes de sable et de béton, des grues immenses, des tours nouvelles, de longs entrepôts de vêtements, de produits de beauté, de sacs et d'accessoires.

Sur les trottoirs, il y a du soleil, de la poussière, des enfants qui jouent au ballon et des adolescents qui slament. Dans le bus, des femmes surtout, chargées de sacs, et de vieux hommes. Un partage du monde.

L'ancien Sentier est là, le long de la Nationale, et plus nous avançons, plus les joues de Jenny rougissent sous l'effet de l'inquiétude. La maison ne sera plus là, c'est certain.

Ni l'école maternelle du coin de la rue.

Pourquoi est-ce à ce moment que mon amie me raconte l'histoire du mouchoir ?

Les mouchoirs en tissu ont disparu de nos vies. C'était quand déjà ?

J'en ai encore un tas dans un tiroir, dit Jenny. Il y a quelques jours, je les ai montrés à Stella. Elle en a choisi un en disant tu n'as qu'à le mettre à part avec un petit papier où tu écriras : pour Stella, quand Nini sera morte.

Puis elle s'est reprise, s'entendant parler, et a dit : non, n'écris rien. Écris juste : Pour Stella.

Je ne veux pas que tu sois morte, a déclaré Stella, une minuscule personne passionnément éprise de sa grand-tante.

Le mouchoir, un mouchoir qui a appartenu à Rivka, est rebrodé au crochet.

Rivka tricotait mal, cousait plus mal encore, mais crochetait parfaitement, et tout ce qui pouvait être croché l'était. Nappes, mouchoirs, chemises, pulls, bonnets.

Elle crochetait pendant les heures de marché, après avoir apparié les chaussettes par lots de six paires ou trois.

Le marché était là, devrait être là, avec ses étals, juste devant la mairie.

Il y a, à la place, un chantier énorme, le terminus à venir de la ligne 12 du métro parisien.

Nous enjambons les planches jetées sur les coulées de boue, nous avançons dans la rue Ferragus, puis nous prenons la rue Heurteaux.

Jenny ne dit rien, je sens qu'elle est débordée par l'inquiétude, mais elle ne le montre pas.

Nous n'aurions peut-être pas dû faire cela, me dis-je, sans trop savoir de quel danger je tente de nous préserver. Pourquoi aurais-je peur qu'elle meure là, en descendant d'un bus qui nous a menées à Aubervilliers, après quatre-vingt-cinq ans d'absence ? Qu'elle meure à cause de moi. De déception. À cause du mouchoir ?

Soudain, la maison en brique rouge est là.

La rue a changé de nom, elle s'appelle rue du Colonel-Fabien. La rue des Sablons a abrité et caché le héros communiste pendant un moment.

Je lis la plaque aux accents solennels :

ICI A RÉSIDÉ LE COLONEL FABIEN, NÉ LE
21 JANVIER 1919 À PARIS DANS LE VINGTIÈME
ARRONDISSEMENT, MORT AU COMBAT LE 27 DÉCEM-
BRE 1944 À HABSHEIM APRÈS SON ÉVASION DU
FORT DE ROMAINVILLE. IL Y FIXA DANS LA CLAN-
DESTINITÉ SON POSTE DE COMMANDEMENT.

En fait il se nommait Pierre Georges, on le
surnommait Fredo. C'est lui qui, le premier,
en geste de résistance à l'occupation nazie tua
un militaire allemand, l'aspirant de marine
Alfons Moser, le 21 août 1941, à la station de
métro Barbès-Rochechouart, à Paris. De cela,
la plaque ne dit rien. L'esprit anti-allemand
n'est plus de mise au Parti communiste dans
les années soixante, et l'éloge des actes terro-
ristes non plus, pour d'aussi mauvaises raisons
qu'il fut anti-boche en 1944.

Nous poussons la porte et passons un
couloir.
Ma guide est redevenue joyeuse, nous frap-
pons à la porte.
Personne ne répond.
Le soleil joue sur les pierres du perron.

Le logement, c'est cette pièce sur cour de 20 m² au deuxième étage.

Jenny regarde par une fenêtre, frappe à un carreau.

Il faut que tu imagines, dit-elle, qu'il règne ici en 1927 une terrible odeur de produit chimique, une puanteur atroce dégagée par les usines voisines. Une odeur inoubliable d'œuf pourri et de déchets industriels. Une fumée affreuse qui donne la nausée. Nous vivons là tous les trois. Les toilettes sont en bas des marches dans la cour. Maman est à nouveau enceinte. Ils comptent et trient et apparient les chaussettes et les bas en laine. Trois paires pour dix francs. Ça marche bien, ils ont des clients fidèles.

Rivka est une femme pratique, une travailleuse infatigable. Un cerveau. Quand elle est arrivée elle ne parlait pas du tout français, alors elle a appris, et elle parle sans le moindre accent. Parfois on lui demande si elle est alsacienne. Elle écrit en phonétique.

C'est aussi une très bonne cuisinière. Elle fait les confitures. Cerises au printemps. Abricots, prunes et fraises l'été. Mûres et coings à l'automne. Les pommes aussi. Elle fait des gâteaux dont elle ne donnerait la recette à personne. Elle fait des strudels, qui me font penser, moi, à la phrase d'Isaac Babel : « Le cœur de notre tribu est enfermé dans un strudel, ce cœur qui sait si bien endurer le combat. »

Une phrase écrite tout exprès pour sa contemporaine, enfermée dans sa cuisine minuscule, qui malaxe et pétrit la pâte des gâteaux au pavot, des gâteaux au fromage blanc. Elle les fait cuire dans le four du boulanger, mais refuse absolument de lui donner sa recette.

La famille mange les gâteaux au petit déjeuner.

Ma mère sait l'ordre des saisons, elle n'a rien oublié des savoirs des femmes du shtetl de Blendow.

On n'achète jamais rien hors saison, dit Jenny, songeuse. Rivka prépare des conserves, les cornichons à la russe, la sauce tomate pour toute l'année, elle sait comment garder des œufs frais pendant des mois en les enfouissant dans de la gélatine. Une gélatine spéciale, qui me fait penser à celle qui conserve les images du passé, la gélatine lumineuse des mots qui nous permet d'inventer et de répéter les histoires. Cette merveilleuse gelée transparente dans laquelle l'écrivain capture les êtres et les rend éternels. Un acte d'amour généreux, particulier. Peu de gens le comprennent. Mais qu'est devenue cette gélatine ?

Tout, dans le minuscule logement, est rangé avec une précision de matelot.

Rivka a l'habitude. Sa fille enregistre tout. Pourtant elle a l'interdiction formelle de toucher à quoi que ce soit. Le ménage, la cuisine, les conserves, la pâtisserie, elle ne doit pas s'en mêler. Ce serait mieux de ne pas savoir où est le balai.

Cela dit, je sais ranger depuis toujours. Quand on a vécu dans tellement peu de place, c'est obligé.

Cela donne à son appartement d'aujourd'hui la clarté d'une pensée.

Ce que je voudrais, c'est que tu ailles à l'école jusqu'à la fin de ta vie, dit Rivka à sa fille, ou elle ne le dit pas, mais c'est facile à deviner. Les études c'est le plus important. La révolution, ce serait que tout le monde accède enfin à la connaissance et au vaste monde, la révolution ce serait que les filles ne soient plus prisonnières, à la merci de leurs grossesses, les bras chargés de seaux, dos cassés par les maternités, hanches brisées par les travaux domestiques.

Rivka est une femme en colère mais réaliste aussi. Elle veut que le monde s'ouvre pour sa fille.

Il y a une blague juive dont je me souviens mal, à ce sujet, sur les gens qui ont un long passé et un bref avenir. Et ceux pour qui c'est le contraire.

Nuchim veut lui aussi un véritable avenir pour sa fille si intelligente.

Avec l'école, ça a mal commencé, remarque Jenny en riant.

En janvier 1929, on me met à l'école maternelle de la rue Ferragus, je viens d'avoir trois ans. Je me sens évincée et abandonnée. À la maison, mon frère qui a neuf mois a envahi notre minuscule espace. Je ne veux pas aller à l'école, je ne veux pas lui laisser le terrain, lui abandonner ma mère qui m'a trahie pour lui.

Je déteste les horribles cris de ce bébé. Mais il est clair qu'elle, elle le préfère.

Un jour, je m'évade, profitant de l'inattention je passe la porte, je sors dans la rue.

Quand on m'a demandé où j'allais, toute petite fille dans les rues glacées, marchant avec détermination, j'ai dit : je vais chercher mon papa qui vend des chaussettes au marché.

On m'a ramenée à la maison. Et maman m'a serrée dans ses bras, elle s'est émerveillée de mon audace, elle m'a rassurée, elle m'a dit qu'elle m'aimait. Je l'ai crue. J'ai deviné combien elle était fière de moi.

Je peux presque voir l'enfant aux grands yeux, fascinée par la voix calme et profonde de son père, accrochée aux jupes de cette mère résolue qui crie facilement, et refuse les caprices.

Tu l'auras quand le Messie viendra, dit-elle souvent quand sa fille réclame une tartine de confiture. Et c'est pas demain la veille.

Elle ajoute : te balance pas comme un vieux Juif.

Et Jenny l'admire et l'adore. Elle n'a aucune envie d'être un vieux Juif. Elle a compris tout de suite pour le Messie. Il viendra pas. Elle est prête à faire face.

Elle a la mère la plus fiable de la terre. Un jour, elle a huit ans, on l'opère des amygdales à l'hôpital Cochin. Quand elle se réveille, elle est seule, le grand drap blanc qui lui remonte sous le menton est rouge de sang. Rivka arrive, c'est tôt le matin, elle lui a apporté une grande Thermos de jus de cerise très frais, rouge comme le sang sur le drap, un anticorps. Elle a fait cuire des cerises, comme on faisait en Pologne, elle les a pressées au torchon et mises à la glacière. Maintenant elle doit aller travailler. C'est loin, Aubervilliers.

Je reviendrai te chercher dans quelques jours quand tu pourras sortir, dit-elle à sa fille, qui sait que c'est vrai, qui reste toute seule dans son petit lit d'hôpital sans moufter, sans craindre désormais d'être abandonnée.

Retour en arrière : en juin 1930, la famille déménage à Vincennes, au 32, avenue de la Villa. L'appartement fait 24 m², il est situé dans un endroit poétique et misérable en même temps. La villa en question est un immeuble plutôt charmant, les premiers étages de l'ancienne villa sont vides, le logement situé au-dessus n'a ni salle d'eau, ni W.-C., mais il n'y a pas l'odeur infecte et la nature est là au bout de la rue. Nuchim fait venir quelques-uns de ses frères. Ils s'installent dans le même pâté d'immeubles, ou juste en face.

Dans le cahier où je prends des notes, où je réinvente le plus loyalement possible la vie de Jenny, il y a une grande feuille à petits carreaux. Une feuille précieusement conservée, pliée en quatre, raturée et corrigée pour préciser des détails.

On y découvre deux croquis au crayon.

Le premier est un rectangle, quelques marches y mènent, neuf traits horizontaux réguliers, la porte et la fenêtre sont dessinées. À côté, l'auteur a écrit : 20 m² (à 4). 1 pièce. Aubervilliers. 1926-1930.

Le second représente les deux appartements successifs du 32, avenue de la Villa à Vincennes. 24 m² jusqu'en 1936, puis 27 m². À 4 avec les parents jusqu'en 1942, a écrit Jenny. Seule ou à deux ensuite, après le 16 juillet.

Sur la seconde page, d'autres logements sont dessinés, ceux où s'est déroulée la deuxième moitié du siècle : toujours la surface et le nombre d'habitants.

Un cinquième sans eau de 22 m², seule, rue de la Harpe, à Paris. Puis 40 m², à deux, ensuite à trois, rue Monsieur-le-Prince, l'esprit scientifique de Jenny s'y lit à livre ouvert. Et une pensée d'archéologue, acharnée à réfléchir aux conséquences de l'organisation de l'espace, à ce que cela nous dit.

Vincennes, donc. Dès qu'ils emménagent, Nuchim emmène sa fille de presque cinq ans au bois tout proche. Au bord d'un étang, au milieu des grands arbres et des buissons, dans une zone doucement vallonnée, il y a un banc.

Il prend l'habitude d'aller la chercher à la sortie de l'école, ils vont s'asseoir près de l'eau, à l'ombre des deux grands pins, pour parler et pour lire, s'il ne fait pas trop froid. Elle prend goût à leurs discussions. Ils sont seuls tous les deux et tout est intéressant. Ils sont dans la nature, au milieu des chênes, des hêtres, des sorbiers, des sureaux. L'air est délicieux.

Au retour, ils passent à la boulangerie de l'avenue de la Villa, juste à côté de la maison, la boulangère est gentille, la boulangerie est encore là aujourd'hui. Souvent, Jenny essaie d'obtenir un gâteau qui la fascine. C'est une petite assiette en nougatine surmontée d'une tasse en chocolat remplie de crème. C'est cher. Et puis ta mère ne sera pas d'accord, dit Nuchim.

J'y pense encore à cette petite tasse. Ma mère refusait qu'on achète des confiseries ou des pâtisseries industrielles. Quant aux bonbons, elle en achetait d'excellents, emballés dans du beau papier, des bonbons de luxe qu'elle cachait dans l'appartement, dans des endroits secrets, connus d'elle seule. Nous passions beaucoup de temps à les dénicher. Les bonbons sont une chose importante dans la vie des enfants.

Nuchim, lui, serait d'accord évidemment pour la petite tasse en nougatine, mais il respecte les décisions de sa femme. Ce qui lui plaît, c'est de raconter le monde à sa fille.

Il lui transmet son humanisme indestructible. Il a toujours été socialiste. Toute sa vie. Un militant ouvrier. Un intellectuel révolutionnaire. Un homme qui n'avait peur de rien, ayant déjà tout vu.

Au moment de l'arrestation de Zinoviev et de Kamenev, en décembre 1934, j'avais neuf ans, et il me racontait tout. Je me souviens du nom de Kirov, assassiné d'une balle dans le dos le premier décembre. C'était comme un coup de tonnerre. On a dit que le meurtrier était envoyé par Staline à qui Kirov avait osé tenir tête. Kirov était un dirigeant puissant, un chef militaire.

Son assassinat a été le point de départ d'une terrible violence.

À la suite de sa mort, les membres du Parti n'ont plus eu le droit de porter d'armes, comme c'était le cas avant, et ce désarmement avait un sens : c'était la fin d'une certaine idée, tu vois ce que je veux dire, de l'égalité des camarades du Parti, la peur des complots passait désormais au premier plan. Surtout c'était plus facile de les arrêter.

Pendant que je mangeais mon goûter, il m'expliquait. Il venait de lire *Ma vie*, de Léon Trotsky, qui était paru en France en trois volumes. Chaque jour il me lisait le journal. On parlait de livres, de l'école, de champignons. Il lisait et nous regardait jouer. Il pensait souvent à autre chose.

Un jour, mon frère est tombé dans l'étang et mon père ne s'en est pas aperçu. Heureusement c'était l'été, et ce n'était pas profond.

Il y a pourtant des choses dont Nuchim Plocki ne parle pas. Il ne parle pas de ce frère qui a quitté Radom en 1917, enthousiasmé par la révolution d'Octobre.

Très vite, ses lettres se sont espacées, dit Jenny. Dès 1927, papa n'a plus reçu de ses nouvelles.

On n'a plus entendu parler de lui. Jamais.

Le jeune homme a été victime de ce qui avait commencé en Russie, au moment où elle prenait le nom d'U.R.S.S., Union des Républiques socialistes soviétiques, le 30 août 1922. Les meurtres, la spirale épouvantable de crimes et de mensonges.

Assassiné.

De cette tragédie, mon père ne m'a jamais dit un mot, et c'est normal, j'étais une petite fille, mais l'impression que j'ai, dit Jenny, c'est que c'était l'événement décisif de sa vie, un gouffre.

Ne venez pas, nous nous sommes trompés, criaient les trahis de la révolution avant de mourir dans les geôles de la Loubianka, dans les neiges des îles Solovki, en Kolyma, dans les marais et la toundra, dans les goulags du Grand Est.

Pour me rafraîchir la mémoire, pour me rappeler que des tas de gens, dès 1927, savaient combien les choses avaient mal tourné, et sur les conseils de ma voisine chérie, je lis les livres de Panaït Istrati, un vagabond autodidacte au cœur rimbaldien, un Roumain lyrique et insoumis, absolument incapable de compromis avec son exigence de vérité et d'élévation. Incapable d'accepter la médiocrité humaine. Les espoirs qu'il place un temps dans la révolution n'ont d'égal que ses colères et ses cris de rage contre la cruauté, les trahisons, la violence ou la mesquinerie.

Le vingt-cinq décembre 2015, je trouve un livre sur mon palier, depuis la couverture, un homme au regard intense et pensif, au front inquiet, me scrute.

Comme j'ai manqué ton anniversaire, dit le mot glissé entre les pages, le Père Noël a pris la relève. Je t'embrasse. Jenny.

L'Amitié vagabonde, c'est le titre, est un essai de Jacques Baujard, sur Panaït Istrati. J'en détache ces lignes :

« Dans la fourmilière humaine, il se trouve des hommes qui n'ont pas assez de leur propre vie, de leur souffrance, de leur bonheur, et qui se sentent vivre toutes les vies de la terre. Mille béatitudes ne les empêchent pas d'entendre un gémissement. Ce sont les hommes-échos, tout résonne en eux; je suis un de ces hommes-là, je suis un haïdouc, écrit-il. Pauvre haïdouc.»

En 1927, à l'invitation de Christian Rakovski, un ancien camarade docker devenu ambassadeur, il sanglote d'émotion sur la place Rouge, au spectacle de tous ces peuples rassemblés dans la foi et la confiance. Mais plus les semaines passent, et plus il déchante devant la dure réalité de la répression, les arrestations, la tragédie silencieuse qui a lieu. Il écrit au Guépéou, le premier K.G.B., il écrit à tous ceux qu'il connaît, il proteste, je ne suis ni un opposant ni un anarchiste, mais un camarade. Il se sent tenu de leur dire son indignation.

Ses amis sont arrêtés les uns après les autres. La terreur et la lâcheté générale sont un couple qui marche à merveille.

Victor Serge le raisonne: on ne fait pas d'omelette sans casser des œufs.

Je vois les œufs cassés, dit Istrati. Où est ton omelette?

Il meurt de chagrin et de tuberculose en 1935.

Sa petite ombre aiguë et désespérée flotte au-dessus des grands arbres du bois de Vincennes.

Comme des fétus de paille
sur l'océan

Jenny grandit dans ce climat passionné, contradictoire. Elle se politise, comme on disait avant que ce verbe n'acquière une tonalité désuète.

Le 12 février 1934, nous sommes allés, mon père et moi, à la manifestation unitaire des Gauches. C'est la réponse au putsch manqué des Ligues, le 6 février.

Nous rejoignons la marche organisée pour sauver la République. Je me souviens d'un cortège puissant, un vrai fleuve.

Nous ne défilons derrière personne. Nous portons d'immenses drapeaux rouges.

C'est ma première manifestation. J'ai neuf ans, on m'a expliqué le danger. Je suis si fière d'être là, donnant la main à mon père qui est étranger et si fier d'être là, avec sa petite enfant française. Française depuis 1927, comme il le dit souvent.

Une foule immense s'est massée pour le cortège qui, de la porte de Vincennes, doit gagner la place de la Nation.

Jenny n'en dit pas davantage, alors je relis le récit vibrant de Léon Blum.

«À partir de la rue des Pyrénées, un autre cortège, parallèle au nôtre, s'engagea sur le côté droit. C'étaient les ouvriers communistes convoqués par la C.G.T.U. Il avançait en même temps que nous, séparé de nous par un large trottoir, portant les mêmes drapeaux et chantant les mêmes chants.

«En nous approchant de la place de la Nation, nous pûmes apercevoir dans l'avenue Daumesnil des masses profondes de cavalerie. Mais au même moment, venant de l'intérieur de Paris, déboucha sur la place une autre colonne qui se dirigeait à notre rencontre. C'était la manifestation communiste, décidée à la dernière minute, et convoquée à la même heure sur le même lieu.

«Marchant en sens inverse, les deux cortèges se rapprochaient rapidement. Bientôt les deux têtes allaient se heurter.

«Je me vois encore marchant au premier rang, derrière les drapeaux des sections socialistes. Nous avancions. L'intervalle entre les deux têtes de colonne diminuait de seconde en seconde et la même anxiété nous gagnait tous. La rencontre serait-elle la collision ? Cette journée organisée pour la défense de la République allait-elle dégénérer en une lutte intestine entre deux fractions du peuple ouvrier de Paris ? Les régiments de cavalerie massés là-bas dans l'avenue Daumesnil étaient prêts à les mettre d'accord en leur faisant sentir à toutes deux, la pesée brutale de l'ordre.

« Les deux têtes de colonne sont maintenant face à face. De toutes parts jaillissent les mêmes cris. Les mêmes chants sont repris en chœur. Des mains se serrent. Les têtes de colonne se confondent. Ce n'est pas la collision, c'est la fraternisation. Par une sorte de vague de fond, l'instinct populaire, la volonté populaire avaient imposé l'unité d'action des travailleurs organisés pour la défense de la République. L'étonnante journée s'achevait ainsi par la plus inattendue des victoires. Le peuple de Paris n'avait pas seulement montré sa force. Il avait dicté leur devoir aux formations politiques et syndicales qui se réclamaient de lui. La réponse à l'attentat fasciste était complète.

« La République était sauvée. Pour un peu plus de six ans. »

Fétus de paille au milieu de cet océan, la confiance nous gonfle la poitrine. Nous découvrons que nous sommes forts. Aucune grève n'avait rassemblé jusqu'alors autant de gens. Aucune marche n'avait compté autant de manifestants.

En écoutant la voix lointaine de Léon Blum, en écoutant Jenny, je pense que les manifestations ont été le principal langage de résistance du cruel vingtième siècle.

Ont-elles été vaines, ont-elles fait leurs preuves ?

Elles incarnent, en 1934 comme en 1936, une manière de transformer les mots, les articles, les pétitions, les tracts en marée humaine.

Avoir une opinion sans prendre la peine de descendre dans la rue pour en témoigner s'apparenta longtemps à de la lâcheté. Les manifestations de rue étaient l'arme du peuple, le peuple en marche, la forme concrète de l'instinct populaire, la vague.

On savait les *Châtiments* de Victor Hugo par cœur. Victor Hugo, ce père de la République alexandrine.

Ô république universelle, tu n'es encore qu'une étincelle, bientôt tu seras le soleil.

J'ai cru que les choses avaient changé. J'ai cru que les révoltes sociales, les mouvements tectoniques qui tordent nos sociétés ne passaient plus par les marches de rue.

Ce n'est pas certain. Quel autre moyen ont les gens de faire entendre leur voix minuscule ? À la fin, il y a toujours la rue.

Je me dis que tout cela, c'était il y a mille ans. Et hier cependant.

Ce bond dans le temps, en avant, en arrière, c'est ce qu'a ressenti Jenny quand, avec son frère et sa mère, elle est allée visiter la famille Rajsfus, à Blendow.

Des tantes, des oncles, des cousines, mais surtout sa grand-mère qu'elle ne connaissait pas.

Rivka n'a pas embrassé sa mère depuis plus de dix ans. Elle veut lui présenter ses petits-enfants. Elle sait, ou bien elle ressent confusément, que ce ne sera pas possible longtemps. Rivka Rajsfus lit les journaux yiddish. Son inquiétude monte depuis 1933.

Elle veut avoir des nouvelles de ses innombrables nièces, de ses cousines restées là-bas, à Varsovie et à Blendow. Elle remplit des sacs.

Le voyage est terrifiant, et il dure 36 heures. Le train fend l'Allemagne nazie à une lenteur d'escargot. Aux arrêts montent des hommes en uniforme, armés de barres de fer. Nous traversons, dit Jenny, Berlin au ralenti.

Ensuite, embarrassées de paquets et de colis, elles prennent une calèche et elles arrivent épuisées au village.

La déception est tout de suite très grande.

Nous sommes restées un mois, j'ai eu horreur de cela. Cette vie lente et sombre. Je n'avais jamais pensé que nous étions juifs. C'est difficile à expliquer, mes parents n'évoquaient jamais la tradition, nous ne faisions rien pour les fêtes, et je ne savais même pas ce que c'était. J'ai détesté être juive, si c'était ça. Puisque c'était ça.

La grand-mère ne parle que le yiddish, elle est horrifiée par les manières de sa fille et de ses petits-enfants qui ne savent rien de leur passé, de leur tradition, des gestes de tous les jours. Elle ne reconnaît pas sa fille. Elle lui crie des mots inconnus. Maurice ignore ce qu'est une kippa, elle lui met la main sur la tête pour le protéger. Jenny ne connaît pas les prières, pire : elle ne peut parler avec personne.

Le soir du premier vendredi, le shabbat est une catastrophe. Jenny allume la lumière et se fait gronder. Elle l'éteint et se fait gronder à nouveau. Elle ne comprend rien.

Elle éprouve le sentiment d'être une étrangère, pour la première fois, dans ce village bizarre, comme sorti de l'eau.

Les familles juives vivent d'un côté de la rue et les familles catholiques de l'autre. Les filles et les garçons sont séparés. Jenny ne joue avec personne, elle n'aime pas qu'on les appelle, elle et son frère, les Américains, elle se sent rejetée, la grand-mère est dure et triste, tout est triste.

Maudites superstitions, grommelle Rivka, quand sa mère refuse de manger le poulet à la patte tordue que sa fille a trouvé au marché. Va le montrer à ton rabbin, mais ne te fais pas voler. Je ne les connais que trop, ils abusent de la crédulité du peuple, dit-elle en colère. Ils ont l'habitude de confisquer la volaille. Il suffit de la déclarer diabolique, immangeable, pas casher.

Jenny n'aime pas sa grand-mère, toute sèche et ratatinée et inconnue, et si vieille. C'est difficile à supporter pour une fille de neuf ans de détester sa grand-mère tout juste rencontrée.

Elle passe un mois assise par terre dans la poussière de la rue principale, en serrant une poupée dans ses bras. Elle circule dans un autre siècle, sur une charrette à foin.

Me colle pas tout le temps, dit Rivka, déçue et blessée.

Les vacances se terminent.

Je ne me souviens pas de la traversée de Berlin à notre retour, dit Jenny.

Mais ce voyage s'est imprimé dans sa mémoire comme un point lumineux qui servira à interpréter sa vie.

Il y a tout déjà : l'Allemagne nazie, la Pologne perdue, le judaïsme traditionnel qui la rejette et lui donne à observer le terrible destin des filles obéissantes. Son frère si agaçant, un type de sept ans qui joue avec les garçons catholiques de la rue pendant qu'elle s'ennuie, et qu'elle se sent mal, comment savoir pourquoi.

La Pologne s'est éloignée pour toujours.

À partir de 1936, mon père m'a emmenée devant les usines en grève. Il allait voir des camarades. On faisait des collectes. J'adorais.

Nuchim et Jenny, main dans la main, chantent devant les bivouacs, devant les grilles, les feux de pneus, ils apportent des casse-croûte. Elle est choyée par les copains de son père. L'élan.

Je l'envie, j'aurais aimé vivre cet élan, la grève générale, les manifestations, les occupations, la victoire que sont les accords Matignon, les congés payés, la semaine de quarante heures.

Les usines occupées ce sont des levers à l'aube, des chansons sifflotées, des débarbouillages hâtifs, des feux de camp, et l'énergie que donne la lutte quand elle peut être victorieuse, mais ce n'est pas l'essentiel. L'essentiel pour Nuchim est dans ce rêve de mots qui se matérialise fugacement. La fraternité, la solidarité, la chaleur humaine. Un rêve que la disparition de son frère a fissuré sans le détruire.

Quand Jenny évoque son père, plus que la barbe de Marx, ou les lunettes rondes des intellectuels slaves, ou de Victor Serge, ce sont les visages de Victor Hugo et d'Emile Zola qui surgissent, sculptés dans le roc des convictions socialistes et républicaines comme le sont les visages de Thomas Jefferson et d'Abraham Lincoln sur la falaise de Rushmore.

Dès qu'elle a su lire, elle lui a fait tous les jours la lecture.

Elle lit *Les Misérables*, la *Légende des Siècles*, et *Jean-Christophe*.

Un livre dans lequel Romain Rolland affirme qu'un héros, c'est celui qui fait simplement ce qu'il peut.

Tandis que les autres ne le font pas.

Elle lit *Germinal*.

Elle lit *Anna Karénine*.

C'est parce que Nuchim a de si mauvais yeux. Cette quasi-infirmité l'a préservé de la conscription. C'est un trait décisif de son être. Ses lunettes épaisses, son calme et sa timidité. Les yeux de ce père, leur fragilité, la myopie qui est l'envers de sa perspicacité, j'y pense souvent, comme à une chose décisive.

Monique, l'amie de toujours, celle à qui mon héroïne a dû, à un moment, le désir de continuer à vivre, a, elle aussi, de mauvais yeux. Elle les cache aujourd'hui derrière des verres noirs et épais, elle ne peut presque plus lire, à moins de grossir infiniment les caractères qu'elle déchiffre. Cette quasi-cécité, Jenny l'associe à leur intelligence à tous deux. L'intelligence fragilise, elle le sait mieux que personne.

Souvent, lors de nos conversations, Jenny ne nomme même pas Monique. Elle dit ma copine, elle dit cela avec pudeur et humour, consciente du trésor qu'est ce dialogue profond et constant depuis trois quarts de siècle.

Nous sommes assises face à face, sur les deux banquettes recouvertes de tissu coloré, et je suis émerveillée et attendrie par cette amitié.

Va pas me mettre sur un piédestal, grogne Jenny. Je déteste ça. Faut qu'on parle de mes défauts, aussi. Ils sont énormes.

Bien sûr, dis-je.

C'est à l'école élémentaire de la rue de l'Égalité, près du métro Bérault, que Jenny et Monique se sont rencontrées. Durant les années trente, les deux filles ne se quittent plus, inséparables. Chaque jour, elles s'accompagnent et se raccompagnent et le long des petits chemins encore sauvages, herbus, fleuris, qui relient la rue de l'Égalité et l'avenue de la Villa, elles se parlent de tout, semaine après semaine, année après année. Accoudées à la balustrade du pont qui enjambe la voie ferrée, elles attendent le petit train qui va de Vincennes à Boissy-Saint-Léger, et le moment où il crache sa fumée. Elles adorent être enveloppées par ce nuage.

C'est très con, les mômes, dit mon amie.

Nuchim ne rate jamais une occasion de saluer les capacités intellectuelles de Monique. Un cerveau, tout comme Rivka. Tu as de la chance d'avoir une amie aussi intelligente.
Monique est toujours là.

La veille de la rentrée de 1939, je ne savais pas si je rejoignais l'École Primaire Supérieure, une sorte de collège où l'on préparait le Brevet supérieur jusqu'en 1941, ou si j'allais en quatrième au lycée. À cause de la déclaration de guerre, je n'avais pas reçu de convocation. Finalement, ma mère a préféré l'E.P.S. Et c'est à l'arrêt de bus de Vincennes pour La Varenne, le jour de la rentrée, que j'ai revu Monique. Cela faisait un moment, nous avions été séparées pendant deux ans, c'était une surprise merveilleuse.
Un hasard qui a orienté vos deux vies, dis-je.

Tu ne comprends pas, dit Jenny. Si j'avais pris un autre chemin, je serais morte.

Monique et Jenny se sont parfois perdues de vue, en quatre-vingts ans, et ce fut chaque fois douloureux, mais elles ont fait toute la route ensemble, à Vincennes d'abord, dans le bois, puis à l'école primaire, et enfin elles ont franchi les obstacles, eu leur certificat d'études, réussi les concours d'entrée, eu leurs bacs. Toutes deux révoltées et passionnées, et ensemble. L'autorité et la générosité de Monique, son esprit synthétique et son timbre clair planent sur nous.

Une complicité profonde leur a permis de protéger leur liberté de penser. Contre le monde entier si nécessaire, elles étaient deux.

En attendant, Nuchim et Jenny lisent. Ou plutôt, Jenny lit à haute voix pour son père.

Quand sa fille saute les descriptions qui n'en finissent plus, celles de *Notre-Dame de Paris* ou celles de *La Curée*, Nuchim s'en aperçoit, mais il ne proteste pas.

Pendant des années, elle se sent coupable de sa petite ruse.

Elle regarde les étagères de la bibliothèque qui tapisse ses murs. Des livres par milliers. Rangés méticuleusement. Des livres politiques, des livres sur la guerre, des livres sur la Shoah, la collaboration, la Résistance, les camps, tous les témoignages sur les camps, des livres de philosophie politique, des classiques de la pensée politique, des biographies, des livres d'histoire, des essais et de la littérature, de la poésie. Surtout de la littérature. Toute la littérature c'est impossible, mais énormément de littérature française du vingtième siècle, et de grands pans de la littérature anglo-saxonne ont trouvé refuge sur les étagères de bois.

Si mon père avait pu voir ça, il aurait été heureux.

Elle rayonne devant les livres parfaitement rangés.

Et moi j'ai honte de ma bibliothèque trouée, des abandons successifs que j'ai faits des livres de ma bibliothèque au fil du temps, à chaque déménagement.

J'ai honte de mon désordre. Il dit mon erreur : ma certitude de ne jamais manquer de livres, de pouvoir toujours trouver la page que je veux corner, la phrase que je veux noter. Une conviction démentie par les faits.

Il y a très peu de livres au 32, avenue de la Villa.

Mais Jenny a lu pour Nuchim le *J'accuse* de Zola. Pour lui, l'acquittement du capitaine est une preuve. La preuve qu'il a raison de chanter *La Marseillaise* dans les manifestations polonaises. Une preuve qu'il a eu raison de faire ce choix-là, celui de la France. C'est ce qu'il explique à sa petite enfant française. Son amour de la France et de la République, qui sont synonymes à ses yeux.

Été 1936. Les grévistes ont gagné, c'est les congés payés. Jenny part en colonie de vacances à La Couarde, un petit port de l'île de Ré, où elle campe, mange des pignons de pin, et se baigne. À tour de rôle, Nuchim et Rivka viennent lui rendre visite. Il faut bien tenir le stand au marché.

1936, c'est aussi l'éducation populaire, Jean Zay est ministre, et Léo Lagrange aux Sports défend la gymnastique pour tous et surtout pour les filles.

Tu n'imagines pas le tollé. Montrer ses jambes, c'est obscène, c'est le chemin de la prostitution. À l'heure de la gymnastique, la mère Cayeux, notre institutrice, disait d'un air féroce: celles qui veulent lever la jambe peuvent sortir.

Pour finir dans le ruisseau, finir dans la rue. C'était limpide.

C'est difficile d'aller au stade, il faut se mettre en short. Je ne mets pas de pantalon. Jamais. On a des sortes de guêtres, et très froid aux cuisses quand il gèle. Mais l'essentiel se passe en classe. J'écoute tout, je retiens tout. En 1937, je reviens en larmes de l'école: la maîtresse a traité les femmes de la Commune de pétroleuses. Je ne sais pas ce que c'est, mais je devine que c'est horrible. Je pleure de colère. Maman me console. Les insultes des ennemis sont des titres de gloire dont on peut se parer. Pétroleuses est un beau mot pour nommer des femmes courageuses et rebelles. La Commune est une révolution calomniée.

Il faut dire que maman nous élève en nous transmettant ses convictions, dit Jenny, rêveuse. Des convictions dont je suis fière. Fière, dès six ans, d'expliquer aux autres enfants que le Père Noël n'existe pas, comment peuvent-ils croire des bêtises pareilles. La souris non plus. Aucune souris n'apporte de cadeau quand on perd une dent. Pourquoi une souris apporterait-elle de l'eau de Cologne ? Pourquoi le ferait-elle ? Je dois avoir huit ans quand ma mère m'explique comment on fait les enfants. Sans choux et sans cigognes. Par amour.

Elle croyait à l'intelligence humaine, dit Jenny, à l'éducation.

Elle luttait contre la barbarie, contre l'obscurantisme, sans arrêt, tout le temps.

Et nous évoquons cette histoire des années vingt. La petite Hannah Arendt revient de l'école, elle dit à sa mère qu'elle s'est fait traiter de sale juive en classe. Très bien, sache que cela arrivera encore et que c'est une source de fierté, et que tu dois toujours te battre contre celui ou celle qui t'a insultée.

Elle voulait aussi que nous tenions notre rang. Un exemple : Tout le monde faisait des cadeaux aux maîtresses à Noël, moi, je ne voyais pas pourquoi, mais maman a dit que c'était nécessaire, elle a dit : on va lui offrir des bas ; il faut qu'on fasse un cadeau, comme les autres, elle m'a dit de bien expliquer que si c'était pas la bonne taille nous pouvions les changer. J'étais morte de honte, mais bien obligée. Tiens, maîtresse, des bas de la part de ma mère.

Quand on est étranger, cela a des tas de conséquences. Personne ne vous explique rien. On n'est pas au courant des choses les plus simples. Toutes les démarches sont des exploits. Personne n'avait expliqué à ma mère qu'un enfant né en décembre pouvait entrer au cours préparatoire dès septembre, à six ans non révolus. Cela nous avait mises en colère.

En Pologne, l'accès à l'école se faisait à sept ans, comment aurait-elle pu deviner.

Alors Jenny a su lire dès la maternelle, et a regretté de ne pas aller au cours préparatoire plus tôt, alors qu'elle piaffait d'impatience d'apprendre.

Cela a eu des conséquences considérables sur sa vie.

1939. Nuchim Plocki voudrait partir en Angleterre.

Depuis les accords de Munich signés avec Hitler et Mussolini par Édouard Daladier et Arthur Neville Chamberlain, le 20 septembre 1938, le péril nazi se fait plus pressant.

Et, depuis que les nouvelles affluent sur les crimes commis en URSS durant la terrible année 1937, il reparle beaucoup de son frère disparu. De quelque côté qu'on se tourne, les nuages noirs s'accumulent.

À table, le dimanche, les déjeuners avec les oncles communistes tournent mal, on s'engueule en polonais et en yiddish. L'antisémitisme de Staline a éclaté au grand jour. Au moins pour ceux qui savent lire. Ceux qui comprennent.

Il est visible que presque tous les révolutionnaires de 1917 sont en train d'être assassinés.

Je tire la manche de papa, je veux qu'il me traduise ce que dit l'oncle. Il se dispute avec eux à propos des procès de Moscou. Le premier procès a eu lieu en août 1936. Il concerne ceux que l'on nomme les Seize.

Vie de ma voisine

Grigori Zinoviev,
Lev Kamenev
Grigori Evdokimov
Ivan Bakayev
Sergei Machkovsky
Vagarshak Ter-Vaganyan
Ivan Smirnov,
Ephim Dreitzer
Isak Reingold
Edouard Holtzman
Fritz David
Valentine Olberg
Konon Berman-Yurin
Moissei Lurye
Nathan Lurye

Tous fusillés.

Je ne connais aucun de ces noms, hormis Zinoviev et Kamenev, les indissociables. Moi qui ai tant lu sur la Révolution. Âmes englouties, me dis-je, romantiquement, tristement. J'en ai même perdu un dans ce tourbillon sanglant. J'en nomme quinze sur seize. Et je tremble.

Et puis, le 23 août 1939, c'est le coup de théâtre du pacte germano-soviétique.

Mon père n'est pas étonné, dit Jenny sans hausser le ton.

Staline et Hitler s'entendent sur le dos des peuples. C'était tellement prévisible. Du premier bureau politique du parti bolchevique, il ne reste que Joseph Staline. Assassinés. *Fétus de paille.*

Nous restons en France à cause de ma mère. Elle ne veut pas recommencer sa vie, notre vie, en Angleterre, elle ne parle pas anglais. C'est peut-être pour cela que moi j'aime tant cette langue. C'est peut-être pour cela que j'aime tellement la littérature anglaise, dit Jenny, pensive.

Mais il y a d'autres raisons à ce désir de ne pas émigrer, des raisons que je devine plus tard en repensant aux disputes de cette année-là. Mon père et ma mère s'aiment, mais je suis certaine qu'elle est tombée amoureuse d'un autre à ce moment-là, en 1937 ou 1938. Lui, mon père, il patiente. Parce qu'il l'aime, et qu'il est comme ça.

Un soir, elle est rentrée très tard. Je ne dormais pas. J'attendais. Ils ont discuté longtemps, j'ai senti cette tension, je me souviens que j'ai eu peur.

Rivka dit : on ne part pas. Pourtant elle sait. À ceux qui essaient de se cacher la tête dans le sable, qui croient à la paix de Munich, elle répète : les nazis, vous ne les connaissez pas. Des tas d'amis allemands réfugiés en France depuis 1933 sont venus à la maison, nous savons ce qui se passe là-bas, les persécutions, les arrestations, les disparitions.

Cela m'arrange bien de rester en France. J'ai mes amies, mes habitudes, j'adore tout, le travail, les trajets, mon vélo, les récrés, et cette idée qu'on ne cessera jamais de rêver, de rire et de discuter.

Premier septembre 1939 : la guerre est déclarée.

Et le 22 juin 1940, c'est la défaite et l'armistice en forêt de Compiègne.

Dès le premier octobre 1940, le statut des Juifs est publié depuis Vichy par le maréchal Pétain. Sont exclus de la fonction publique, sont exclus de l'administration, sont exclus, sont exclus, sont exclus, la liste est longue. Et il faut, si l'on a trois grands-parents juifs, se rendre au commissariat de son quartier pour

se faire recenser et faire tamponner le mot JUIF
sur sa carte d'identité.

Ce sont les premières mesures antijuives. La
ségrégation commence.

Il y a une grande réunion, dit Jenny, grave
et révoltée, une réunion de tous les Plocki. Il
faut prendre une décision collective. Se déclarer ou pas. Si l'un d'entre nous veut le faire,
les autres y sont obligés. Mais nous pourrions
aussi ne pas le faire. Parce que notre nom,
Plocki, peut faire illusion. Polonais, bien sûr,
mais juif, pas forcément. Du moins c'est ce
que nous croyons.

Je suis intriguée, il me semble que la communauté des Juifs de Plock est très connue.
C'est tellement étrange ces certitudes qui
varient selon les moments. Bref. Les membres
de la fratrie Plocki viennent de Radom, pas de
Plock. N'empêche.

Une des tantes tient absolument à aller se
faire ficher. Une autre ne voit pas comment
ne pas se déclarer, alors on se déclare tous, dit
Jenny. C'est la décision la plus catastrophique
de notre vie.

Ce geste aussi confiant que stupide et ses conséquences dramatiques ont ôté par la suite, à bien des gens, l'envie d'aller se déclarer où que ce soit, pour quoi que ce soit.

L'obéissance des honnêtes gens au règlement et à la loi faisait partie de ce monde ancien.

Et les ennuis commencent,
dit Jenny
avec son habituelle sobriété

On pose sur l'étalage une pancarte JUDISCHES GESCHAFT, entreprise juive. Le stand du marché d'Aubervilliers a droit à sa pancarte, celle qu'on voit dans les films, sans mesurer son poids d'humiliation et de scandale. Sans la voir vraiment, parce que nous nous y sommes habitués. Judische unternehmen.

Un stand de vente de bas et de chaussettes par paquets de six ou trois se voit gratifié de cette magnifique banderole qui incite les acheteurs qui n'aimeraient pas les Juifs à acheter ailleurs leurs chaussettes de laine.

Cette mesure on la connaît peu, j'ignorais ces mots, judische unternehmen, judische geschaft, je les cherche sur Wikipedia, et je ne trouve rien. Je tape les mots entreprise juive, puis commerce juif, avec un immense dégoût, et je ne trouve rien. Ou plutôt si : je tombe sur des obscénités relatives au pouvoir des Juifs dans le monde, et je referme vite mon ordinateur parce que cela me fait peur.

L'étalage est aryanisé. Au début de l'année 1941, un gérant est nommé.

Le type surgit en se frottant les mains. Je suis votre gérant, dit-il, où est la boutique ?

On lui fait visiter l'entrepôt de 2 m² à Aubervilliers, et le stand sur le marché.

C'est tout ce que je peux faire pour vous, dit mon père. Vous n'avez pas de chance.

Et nous éclatons de rire.

Encore une année de mouise. Les parents visitent à domicile les clients pour leur apporter des chaussettes, des bas. Il n'y a plus de travail.

Cela doit faire peur à cette jeune fille de quatorze ans. Elle ne le dit pas. Jamais. Entre 1940 et 1942, dit-elle, ça va. Ça va bien. On est ensemble, et on ne manque de rien. Pourtant le statut des Juifs c'est un tas de persécutions effarantes qui se durcissent et se multiplient au fil des mois.

Reprenons les faits. Ces faits qui glissent sur nous, nous échappent, que nous oublions et ré-oublions encore.

À partir de septembre 1940, les autorités françaises recensent les Juifs étrangers sur ordre des Allemands, puis le régime de Vichy prend l'initiative de promulguer la première loi française sur le statut des Juifs. La loi du 4 octobre 1940.

Theodor Dannecker, qui représente Adolf Eichmann à Paris, veut accélérer l'élimination des Juifs. Plus vite, plus vite. Hâtons-nous. Les spoliations se multiplient, commencent les internements. Il faut suivre les étapes pour ne pas effrayer, ne pas effrayer – le premier commandement – mais de là à perdre un temps précieux...

Dannecker charge donc un sbire, nommé Zeitschel, des relations avec un Commissariat général aux questions juives, qui est créé le 29 mars 1941 et dirigé par Xavier Vallat, puis par Darquier de Pellepoix.

Le 22 avril 1941, Dannecker informe le préfet Ingrand, représentant du ministère de l'Intérieur en zone occupée, de la transformation du camp de prisonniers de Pithiviers en camp d'internement, avec transfert de sa gestion aux autorités françaises. Les Allemands exigent l'application de la loi du 4 octobre 1940 qui permet l'internement des Juifs étrangers. Le camp de Pithiviers est instantanément insuffisant, celui de Beaune-la-Rolande ouvre. Ça fait cinq mille places, si l'on peut dire.

Les oncles qui s'étaient déclarés sont arrêtés. Ils sont convoqués au commissariat. C'est ce qu'on a appelé la rafle du billet vert. Ça va vite.

Le 14 mai 1941, sur la base des déclarations faites sept mois avant, six mille six cent quatre-vingt-quatorze Juifs étrangers, polonais pour la plupart, habitant en région parisienne, reçoivent une convocation imprimée sur une feuille verte pour «Examen de situation».

Plus de la moitié d'entre eux obéissent. Ils croient encore à la légalité, ils sont tranquilles, ils sont en règle, ils sont fous. Ils pensent qu'il ne s'agit que d'une formalité administrative. Ils sont transférés en autobus à la gare d'Austerlitz et emportés le jour même par quatre trains spéciaux vers les camps du Loiret. Mille sept cents hommes à Pithiviers et deux mille à Beaune-la-Rolande.

Deux frères de mon père sont enfermés à Beaune-la-Rolande, dit Jenny.

Entre 1940 et 1942, ça va, mais pas tant que ça. Les mécanismes de la destruction sont en marche.

Nous sommes allés à Beaune-la-Rolande, au mois de juillet, avec une tante.

Ce furent nos dernières vacances. Les prisonniers avaient le droit de sortir cet été-là.

Nous ne logions pas loin, nous faisions des pique-niques, des promenades dans la campagne. La campagne était plate, nous vivions dans un climat d'angoisse. Mais tout le monde faisait comme si de rien n'était.

Ensuite, à l'automne, ils ont été emmenés à Drancy. Plus jamais on n'a eu de leurs nouvelles.

La deuxième rafle a lieu le 20 août 1941 : des Juifs français et étrangers sont arrêtés dans les rues de Paris, d'abord dans le XIe arrondissement, puis dans d'autres quartiers. Quatre mille deux cent quarante-deux hommes sont arrêtés et envoyés dans le camp qui vient de s'ouvrir à Drancy.

La troisième rafle a lieu le 12 décembre 1941. Elle est différente des précédentes.

On l'appelle la rafle des notables, puisqu'ils sont ciblés nommément. On vient chercher chez eux mille quarante-trois Juifs pour la plupart français.

Ce sont des ingénieurs, des médecins, des avocats, des commerçants, des chefs d'entreprise, des gens de théâtre, des artistes. Ils sont transportés au petit matin dans le camp de Royallieu, près de Compiègne.

Puis arrive la première déportation. Le 27 mars 1942, un premier convoi quitte la gare du Bourget. Mille cent douze hommes sont enfermés dans des wagons de troisième classe. Ce sont des victimes des rafles du 20 août et du 12 décembre 1941.

Le convoi est escorté jusqu'à la frontière allemande par des gendarmes français. Puis Dannecker le conduit jusqu'à Auschwitz. Ensuite, il n'y a plus de rafles en France jusqu'à juillet 1942, parce qu'il n'y a plus assez de trains disponibles. Ils sont utilisés ailleurs pour la mise en œuvre de la destruction des Juifs d'Europe décidée à la conférence de Wannsee le 20 janvier 1942.

Mais pendant l'été et l'automne 1942, les déportations se succèdent à un rythme dément : on compte quarante convois entre le 16 juillet et le 11 novembre.

À partir des rafles de 1941, tout le monde se met à trembler.

Tout est confus. Les rumeurs enflent.

L'U.G.I.F., Union générale des israélites de France, organisation créée en novembre 1941 pour affilier tous les Juifs domiciliés ou résidant en France, toutes les associations existantes ayant été dissoutes, veut que les gens se regroupent, que les orphelins soient rassemblés. Cela met Jenny dans une colère qui ne s'est pas apaisée.

C'était tellement idiot, dit-elle. Les orphelinats d'enfants juifs ont été des proies tellement évidentes.

Chaque jour, tout est plus dangereux. Les parents éparpillent la marchandise. Plus moyen de placer des chaussettes. Le couvre-feu, les rafles. Les disparus. Ils ne travaillent plus. C'est la misère. En mars 1942, Nuchim trouve un boulot de manutentionnaire sur un chantier. Il a cinquante ans, c'est très dur.

Quand ai-je dit à Monique qu'on était juifs? se demande Jenny.

À ce moment-là, je pense. Un peu avant l'étoile.

Les deux filles vont à vélo à l'Opéra-Comique tous les dimanches, même si le vélo est interdit. Elles font la queue à l'aube sur des tabourets qu'elles transportent pour avoir des places et écouter chanter Roger

Majoufre, Denise Agnus ou Georgette Denys, dans *Ginevra* de Delannoy, *Carmen*, *Lakmé*, *Barbe-Bleue*.

Vous allez attraper la mort, crie Rivka, sur le pas de la porte.

T'inquiète pas, maman, on est bien habillées.

Elle ne s'inquiétait pas que pour le froid. Mais jamais elle ne l'aurait dit.

Mon père et ma mère n'ont jamais eu les mêmes goûts en matière de théâtre.

Avec ma mère, on allait voir des comédies musicales, des opérettes qu'elle adore, *Le Pays du Sourire*, *Ignace*.

Mon père m'emmenait voir des pièces sérieuses, *Le Cid*, *Peer Gynt*, *Le Bourgeois Gentilhomme*, *Mère Courage*, *Les Loups* ou le *Danton* de Romain Rolland.

Évidemment on est à la poulaille. J'adore tout.

J'ai noté dans un cahier, dit Jenny, tous les spectacles qu'on allait voir avant guerre, avec les parents. Ensuite j'ai continué. Et je n'ai jamais cessé.

Tu l'as, ce cahier ?

Bien sûr.

Elle ouvre un tiroir. Il est là. Un cahier noir, assez mince.

Nous sommes assises dans son bureau. Elle tourne les pages. Je comprends que ce carnet contient le nom de toutes les pièces que ma voisine a vues durant toute sa vie. Avec la date. Je suis surprise du peu de volume qu'occupe cette liste. Stupéfaite de constater qu'une vie de théâtre intensif tient dans un simple cahier. Jenny tourne les pages.

1941, on joue *Werther*, *Manon*, *La Tosca*.

En mars 2016, nous reparlons de *Peer Gynt*.

Qu'est-ce que ça raconte, *Peer Gynt* ? L'absurdité des destins humains. Antoine Vitez dit ceci : « J'étais enfant, je lisais *Peer Gynt*, je m'interrogeais sans cesse sur ces mots-là : être soi-même. Mon père les répétait souvent. Règle d'or : Être soi-même. Je ne comprenais pas : comment creuser en soi-même pour y trouver soi-même ? Et longtemps après, m'exerçant à l'art du théâtre, jeune acteur, j'essayais de trouver au fond de moi-même l'émotion, la vérité, le sentiment, la sensation et le sens, en vain. Je creusais profond dans moi-même. Un jour, j'ai lu que Stanislavski, le vieux maître, disait au débutant : que cherchez-vous en vous-même ? Cherchez devant vous, dans l'autre qui est en face de vous, car en vous-même il n'y a rien. Alors j'ai compris que ma quête était mauvaise et qu'elle ne menait nulle part, mais je n'avais toujours pas résolu cette énigme : être soi-même. Et j'ai trouvé, à présent, ce que c'est. Échapper aux simulacres, aux représentations, s'arracher au théâtre que l'on se fait de sa propre vie, aux rôles : l'amoureux, ou le père, ou le patron, le roi, le conquérant, le pauvre, la petite fille ou la prostituée, la devineresse et la grande actrice, tout, tout ce qui nous fait tant rêver depuis notre enfance, dépouiller tout cela, déposer à terre les vêtements imaginaires et courir nu. Ôter les pelures de l'oignon. Il n'y aura rien après la dernière pelure, pas de cœur, et pourtant, le sachant, je m'y acharnerai sans cesse. »

Nous ne sommes allés que deux fois au théâtre, tous ensemble.

Je me souviens du soir où nous avons vu *Aïda*. Je m'en souviens comme d'un moment parfait : j'étais au théâtre, avec ceux que j'aimais. C'était le paradis. La vie palpitait, les couleurs me coupaient le souffle. Il y avait l'attente exquise et le rêve partagé. L'oubli de tout. Le temps arrêté. Et la salle qui respire, qui vibre, qui applaudit.

Le théâtre, pour Jenny, est lié de manière profonde à la vraie vie, celle d'avant, quand Rivka et Nuchim étaient vivants. Le théâtre est beaucoup plus sûr que la vie. Plus fiable. Moins mensonger. Un rêve qui ne vous lâche pas.

Après le décret d'octobre 1940, nous ne sommes plus allés au spectacle, avec les parents.

Ils disaient que c'était trop cher. En vérité, ils ne voulaient pas prendre le risque.

Tant pis, on s'amusait autrement, Monique et moi. On faisait de la musique ensemble, on chantait sans arrêt. Sur nos vélos, on fonçait dans les descentes. On lisait avec méthode tous les livres de la collection Nelson, de *La Peau de chagrin*, à *Ivanhoé*, de *Croc-Blanc* aux *Trois Mousquetaires*. On passait tous nos après-midi à la bibliothèque, on déclamait nos airs d'opéra, on riait tout le temps.

Le 29 mai 1942
surgit l'étoile jaune

En vérité, elle ne surgit pas de nulle part. Elle est déjà obligatoire pour les Juifs allemands. C'est la réinvention de la rouelle issue du concile de Latran, une roue jaune imposée aux Juifs pour rappeler la trahison de Judas. Au centre, le mot Juif écrit en lettres tordues, pseudo-gothiques.

Le 6 juin 1942, une circulaire signée par le directeur de la Police judiciaire, un certain Tanguy, et le directeur de la Police municipale, le nommé Hennequin, précise ce que souhaitent les Allemands. Il est ainsi écrit, dans cette prose reconnaissable entre toutes :

> L'autorité allemande prescrit que l'application de l'ordonnance concernant le port de l'insigne des Juifs soit poursuivie rigoureusement, sans aucune exception.

Toutes manifestations qui pourraient présenter le caractère d'une protestation contre l'ordonnance du Militärbefehlshaber devront être réprimées sévèrement. Il ne sera pas toléré que celle-ci soit ridiculisée. Plusieurs cas sont susceptibles de se présenter :

• Manifestations par des Juifs qui porteraient plusieurs insignes.

• Rassemblements de Juifs portant l'insigne d'une manière qui constituerait une protestation.

• Aryens portant indûment l'insigne juif.

• Salut adressé ostensiblement à un porteur de l'insigne, ce qui constituerait nettement une critique.

• Port d'un insigne fantaisiste qui par la couleur et la forme tournerait en dérision l'insigne réglementaire, comme le mot « juif » remplacé par le mot « swing ».

L'autorité allemande attache une importance exceptionnelle à l'exécution de ces prescriptions. Des policiers allemands en civil s'assureront que les services de police font correctement leur devoir.

Il fallait aller au commissariat chercher ça, dit Jenny en tirant son étoile d'un placard. En la posant sur la table.

Dans ses gestes retenus et violents à la fois, mille choses se lisent, la rage rentrée, le dégoût, une stupeur jamais digérée, le sentiment d'exhiber la preuve absolue. La preuve que cela a été possible, que cela a été vrai. Que cela a eu lieu. Réellement. Parfois, on peut avoir le sentiment que cette histoire si proche n'a existé que dans les nombreux films qui mettent le passé en costumes, le recouvrant d'un vernis d'irréalité. Mais aucun réalisateur n'aurait l'imagination méthodique des rédacteurs de prescriptions antisémites.

Jenny m'a souvent dit qu'elle aurait aimé être archéologue. Il y a dans son mouvement quelque chose de cela, une foi dans l'objet, dans la trace, l'inscription retrouvée, une démonstration par l'objet, et sans mots.

Il faut aller chercher les morceaux de tissu imprimés de couleur jaune dans les commissariats et les échanger contre un ticket de vêtements. Le jaune qui est, traditionnellement, la couleur des traîtres et des fous. Contrairement à l'or, dont il se rapproche tant.

Ensuite les découper selon les pointillés. Replier les bords et les coudre sur les vêtements. Il y a trois étoiles obligatoires par personne. Le rationnement ne s'applique pas à tout de la même manière.

Chacun a droit à 50 grammes de pain chaque jour, et chacun doit posséder trois étoiles.

Une étoile coûte un ticket.

Faire en sorte que ce soit les personnes elles-mêmes qui accomplissent les gestes de leur humiliation, de leur destruction, est une dimension du totalitarisme.

Faire soi-même sa valise pour monter dans le train, se déshabiller, déshabiller son enfant, soutenir un vieux parent, l'aider à s'avancer vers sa mort, marcher nue vers la chambre à gaz, de son propre chef. Quelle économie de moyens admirable.

Les victimes doivent coudre elles-mêmes les étoiles. Le fait même qu'on les nomme étoiles, et non crochets, clous, ou pancartes, soulève le cœur.

Cette capacité totalitaire à vider les mots de leur sens pour les emplir d'un autre qui en est l'exact contraire, je la redécouvre aujourd'hui.

Ma mère était une couturière infâme, dit Jenny. C'était mal fait, les rebords gondolaient, l'étoile était trop petite et gonflée, ses branches étaient inégales, inélégantes, affreuses. Et de toute façon, je ne comprends toujours pas comment j'ai pu la porter. Le jour où on me l'a mise, j'ai demandé qu'elle soit cousue sur mon écharpe, je ne voulais pas aller à l'école avec. À l'E.P.S., on était deux à la porter. Au bout d'une semaine, j'étais la seule. La famille de l'autre fille avait quitté la France, je pense.

Je me souviens que le premier jour où j'ai porté l'étoile jaune, je suis passée devant le café qui faisait le coin de la rue des Vignerons et de l'avenue de la Villa.

Le café existe toujours. Il est nanti d'une petite terrasse en béton.

Nous y avons bu un mauvais café offert gentiment par le patron à qui nous n'avons fait aucune confidence, c'était au mois de juillet 2016. Nous avions pris le métro direction château de Vincennes, pour une exploration de l'avenue de la Villa, désormais avenue Franklin-Roosevelt, nous avions longé la rue du Moulin, désormais rue Jean-Moulin, en nous racontant des histoires.

Je crois bien que nous parlions de fleurs. Je n'ai jamais eu la main verte, les plantes meurent plus vite que leur ombre quand je les installe chez moi.

Jenny s'est moquée. Comment peut-on échouer avec des impatiences ? Je lui ai dit : tu n'as qu'à m'apprendre.

Il faisait beau, et les gens étaient en vacances. Nous avions parcouru les trajets que Jenny et Monique accomplissaient chaque jour. Ce quartier de Vincennes, tranquille et désert ce jour-là, avait un air inchangé.

En 1942, a murmuré Jenny, le café était surmonté d'un hôtel où étaient cantonnés des soldats allemands. Et l'un d'entre eux, quand il m'a vue passer, avec l'étoile mal dissimulée par mon écharpe, m'a souri pour la première fois. Il est venu vers moi et m'a serré la main. J'ai senti sa compassion. Ce n'étaient pas des S.S.

Ils ne sont pas restés longtemps, ces soldats allemands. Ils ont vite été remplacés par d'autres, plus jeunes, plus durs. Ceux qui étaient à l'hôtel près de chez nous depuis l'automne 40, et parmi lesquels l'homme qui m'avait souri, ont été envoyés à l'Est et ne sont certainement jamais revenus chez eux. Ils me semblaient vieux. Ils étaient vieux. Ils avaient trente-cinq ans. Peut-être quarante. Ils étaient condamnés.

C'est l'époque où j'ai commencé à diviser les gens en deux groupes, ceux qui comprennent, et les autres. J'en suis encore là. Ceux qui comprennent.

Ce soldat allemand comprend. Comprend ma honte.

La boulangère qui accepte n'importe quel ticket de pain, n'importe quel ticket de pain ostensiblement faux, comprend. Et aussi le marchand de légumes qui fait semblant de ne pas bien voir le ticket que je lui tends.

Comment obtenons-nous de faux tickets de rationnement? Une des tantes travaille dans une usine de confitures, elle nous donne un tas de tickets de confiture que nous trafiquons.

Les interdictions et parfois leur transgression, avec tous les risques qui s'y rattachent, sont devenues une façon de vivre.

Ici, je cite la liste qu'a rédigée Anne Frank à Amsterdam, en juin 1942.

«les Juifs n'ont pas le droit de circuler en autobus, ni même dans une voiture particulière; les Juifs ne peuvent faire leurs courses que de trois heures à quatre heures, les Juifs ne peuvent aller que chez un coiffeur juif; les Juifs n'ont pas le droit de sortir dans la rue de huit heures du soir à six heures du matin; les Juifs n'ont pas le droit de fréquenter les théâtres, les cinémas et autres lieux de divertissement; les Juifs n'ont pas le droit d'aller à la piscine, ou de jouer au tennis, au hockey ou à d'autres sports; les Juifs n'ont pas le droit de faire de l'aviron; les Juifs ne peuvent pratiquer aucun sport en public. Les Juifs n'ont plus le droit de se tenir dans un jardin chez eux ou chez des amis après huit heures du soir; les Juifs n'ont pas le droit d'entrer chez des chrétiens.»

Jenny m'écoute et elle dit:

Les jardins et les parcs interdits aux Juifs et aux chiens, pour rien au monde je n'y aurais mis les pieds.

Les courses autorisées uniquement entre quinze heures et seize heures, le métro interdit sauf le dernier wagon. Oui, tout cela, on l'a accepté, on s'y est soumis. Comment faire autrement?

Sauf que je n'ai pas rendu mon vélo.

Mais jamais on n'a pensé que les nazis pouvaient s'en prendre aux femmes et aux enfants. C'est bizarre, mais on ne pouvait se l'imaginer.

Cela donne le vertige.

C'est en allant au quai aux Fleurs acheter des jardinières, de la terre de bruyère, du terreau et les impatiences promises que Jenny me raconte la suite de l'année 42.

Nous remontons le boulevard Saint-Michel, des impatiences blanches plein les bras, je lui dis que je n'ai aucun espoir d'y arriver, j'ai essayé cent fois, aucune plante ne me résiste. Je fais la liste de mes crimes. Elle se moque. Tu les arroses tous les jours, c'est tout. Mais nous avons la tête ailleurs.

Nous sommes à nouveau au printemps 1942. Avec la peur, avec le cœur serré.

Dès les premiers mois de 1942, des bruits terrifiants circulent.

Il se dit qu'on va déplacer des familles. Chaque jour de nouvelles mesures s'abattent sur les Juifs.

Il faut savoir qu'en avril, Pierre Laval a été renommé chef du gouvernement de Pétain.

Il y a l'étoile en mai.

En juin, un décret signé d'Abel Bonnard interdit aux Juifs d'être comédiens, metteurs en scène, cinéastes, de jouer de la musique, de participer à des concerts.

Les deuxième et troisième convois de déportation quittent Pithiviers et Drancy pour Auschwitz entre le 22 et le 25 juin. Le premier est parti le 30 mars, mais qui le sait alors ? Personne.

À partir de ce moment-là, des rumeurs de plus en plus alarmantes se répandent. On va venir arrêter tous les hommes, mais quand ? Ceux qui ont des contacts avec des gens au commissariat donnent des informations. Nous pensons ne connaître personne au commissariat.

En étalant de vieux journaux sur la table, en remuant la terre avec une cuiller, en arrosant les pieds d'impatience, Jenny continue son récit.

J'installe les bacs sur les fenêtres. Je l'écoute.

Et, à cet instant précis, on frappe à la porte

Comme les alertes sont quotidiennes, certaines nuits, les hommes partent dormir ailleurs, par précaution. Mon père, lui, reste avec nous.

J'en sais qui vont revenir chez eux après la rafle du 16 juillet, croyant avoir agi sagement, prudemment, pour le bien de tous. Et en ouvrant leur porte, le 16 dans la matinée, ils ne trouvent personne. Les pièces vides résonnent. À leurs appels répond le silence. Femme, enfants, vieux parents, tout le monde a été embarqué à l'aube et eux, ils sont saufs. Sauvés et condamnés à souffrir, à revivre sans fin cette scène, leur aveuglement, leur faute, leur apparente trahison. Ils ont abandonné ceux qu'ils devaient protéger. Ils se sont condamnés à se sentir, non sans raison, et parce qu'ils en ont réchappé, responsables de la mort des leurs. Affreuse blague du destin.

Au 32, avenue de la Villa, nous sommes prévenus comme tant d'autres qu'il va se passer quelque chose après le 14 juillet. Pas le 14, ce serait trop énorme. Mais juste après, sûrement.

Il fait beau, les jours durent, on se couche tard, à cause de l'heure allemande qu'on appelle aujourd'hui l'heure d'été, et parce qu'il fait chaud.

Le 16 juillet 1942, mon père se lève très tôt pour aller travailler. Il est cinq heures, il travaille dès l'aube. Les charges à transporter l'épuisent. Il sait qu'il aurait fallu partir.

Par la fenêtre, il voit le jour qui se lève. L'aube éclaire le beau perron en pierre de la maison de l'avenue de la Villa.

Papa dit : ce n'est pas encore pour aujourd'hui.

Et, à cet instant précis, on frappe à la porte.

Le flic qui est venu nous arrêter est un ancien voisin, nommé Mulot. Il a vécu sur le palier d'en face pendant trois ans, puis il a déménagé ailleurs. On sait qu'il a fait arrêter un couple d'Allemands antinazis qui vivait dans notre rue.

Il fait comme s'il ne nous connaissait pas.

Ma mère lui dit : vous ne prenez pas les enfants quand même ?

Il réplique : vous êtes sur la liste, il n'y a pas à discuter.

Il nous emmène à trois cents mètres, dans une villa, au 5 de la rue Louis-Besquel, où la police a entassé toutes les familles juives de Vincennes.

Nous sommes une bonne centaine de personnes, serrées les unes contre les autres, au rez-de-chaussée de ce pavillon.

Une centaine de femmes, d'enfants, de bébés, d'hommes de tous âges, entassés avec nos petites valises. Enfermés comme des mouches.

Par les fenêtres, on voit la rue, et dans la rue, les gens. Des copains d'école de mon frère passent devant les grilles.

Les voisins sont à leurs fenêtres.

Ils sont tétanisés, et impuissants.

On ne comprend rien à ce qui arrive, on a chaud. On s'installe dans l'attente.

Au bout de quelques heures, un commissaire fait son apparition. Il prend la parole. Il dit que les enfants français peuvent partir. Il est environ deux heures de l'après-midi.

Mes parents se regardent, ils n'échangent pas un mot, ils décident ensemble que nous allons sortir.

Ils sont les seuls à avoir pris cette décision. Les autres parents préfèrent garder leurs enfants avec eux, ils pensent qu'ainsi ils pourront les protéger. Il est évident à cet instant que la décision de Nuchim et Rivka les choque. Il est possible que certains en soient même indignés. Abandonner ainsi ses enfants.

Les autres enfants sont restés. Et tous sont morts.

On peut lire leurs noms sur les plaques des écoles.

Mais il faut prouver que nous sommes français, alors le commissaire repart, et cela dure peut-être deux heures. Deux heures pour vérifier si la loi de 1927 va s'appliquer aux enfants Plocki, Eugénie née en 1925 et Maurice né en 1928. Une loi votée pour repeupler la France, bien sûr. Une loi qui stipule tout simplement que tout enfant né en France est français.

Ce sont les deux heures les plus importantes de ma vie, dit Jenny.

Deux heures, un temps arrêté durant lequel ma mère me dit tout ce qu'elle pense devoir me transmettre, tout ce que je dois savoir, tout ce qu'elle sait de la vie, des hommes, de l'amour, des enfants, du sexe.

Jamais elle ne m'a autant parlé. Nous sommes au milieu de cette petite foule de femmes, d'hommes et d'enfants serrés les uns contre les autres, il est évidemment impossible de s'isoler, mais c'est comme si nous étions seules au monde.

Pendant tout ce temps, mon père lui tient la main.

Ils nous donnent leurs alliances, ma mère me donne sa montre. Ils nous donnent le peu d'argent qu'ils ont.

Tout ce qu'ils avaient, ils l'ont apporté ici pour nous le donner.

Jenny a gardé la montre de sa mère, une montre qu'elle a conservée dans une boîte à côté de sa montre de petite fille. Les deux montres se ressemblent, une grande et une petite, deux fins bracelets, des verres brunis par le temps. Dans la boîte, il y a une troisième montre.

J'y repense en ce dimanche glacé du 24 avril 2016. Les pétales des cerisiers jonchent les pelouses, les arbres se secouent. Seules mes impatiences s'épanouissent de semaine en semaine. Un triomphe de la volonté et de la pédagogie sous forme de corolles blanches fragiles et indestructibles (enfin, je l'espère).

C'est Pessah pour les Juifs, et pour tout le monde le jour du Souvenir des déportés. Nous ne nous joignons à aucune cérémonie. Jenny m'apporte un livre qui commence à peu près par ce vers : Mon souvenir des souvenirs s'égare.

Nous buvons un verre de thé. Elle me félicite, les impatiences se portent bien. J'ai probablement rencontré la première vraie pédagogue de ma vie.

Je plonge dans les souvenirs d'une autre que moi.

J'imagine ce 16 juillet. J'essaie.

Une jeune fille est entièrement tendue vers sa mère. Celle-ci parle sans s'arrêter, pressée par le temps, puisqu'elle ne sait pas de combien de minutes elle dispose pour tout dire à sa fille, tout lui dire sur tout. Rivka s'oblige à un inventaire imaginaire. Les tiroirs de la cuisine, les produits ménagers, le rangement, la javel et le détergent, la boîte à couture, la serpillière, les casseroles, la poêle où Jenny fait cuire ses steaks hachés depuis qu'elle a refusé de rester à la cantine. Tout ce à quoi il faut penser dans un appartement même minuscule. L'ordre sacro-saint. Comment il faut tenir une maison.

Jamais je n'ai rien fait d'autre que d'acheter des bonbons en même temps que le pain. La baguette dont je grignotais les deux bouts avant de remonter à la maison.

Des tâches ménagères, Rivka l'a préservée jusqu'à ce 16 juillet, pour qu'elle étudie, sa fille si intelligente, si douée, une future chercheuse, peut-être.

Rivka se concentre. Penser à tout. Être toute à l'instant présent. Ne pas penser à soi.

Les courses. On ne peut les faire qu'entre quinze et seize heures, ça va être impossible avec l'école. Tu te débrouilleras, les tickets sont dans la cloche. Ensuite il faut aller les chercher à la mairie.

Il y a la lessive et le repassage, le sol et le loyer à payer. Les factures. Raccommoder les habits. Faire à manger, midi et soir. Se méfier des voisins, faire confiance, mais à qui.

Rivka raconte. J'imagine que son accent est plus fort que d'autres jours parce qu'elle se contrôle moins. Elle dit que la vie est compliquée pour les femmes. Si tu tombes amoureuse, et tu vas tomber amoureuse, et ce sera merveilleux, tu n'es pas obligée de l'épouser. Si tu es enceinte et que tu n'aimes pas le garçon, ou pour une autre raison, tes études, ou l'argent, tu peux faire passer l'enfant, et Jenny comprend que Rivka l'a fait, elle comprend que c'était ça, cette maladie de sa mère qui jamais n'était malade, il y a quatre ans, en 1937 ou 1938. Et sans doute d'autres fois.

Rivka, qui a appris à sa fille à ne pas croire au Père Noël, ni à la petite souris, ni à Dieu ni à diable, mais seulement à l'amour, à la lutte et à la liberté, lui apprend en deux heures à être une femme libre, une femme indépendante.

Les écrivant, je trouve ces deux adjectifs creux et moches. Le vrai mot serait *mensch*. Un mot yiddish qui n'a pas de féminin.

Rivka a toujours été une mensch, ce n'est pas en cet atroce 16 juillet qu'elle va changer.

Et l'exercice a été profitable pour sa fille Jenny qui pour toujours se doit d'être à la hauteur de cette transmission particulière. De cette preuve d'amour sidérante.

Le commissaire revient. Il est environ seize heures.

Vous pouvez y aller, dit-il.

Rivka et Nuchim se tiennent la main.

Les enfants franchissent la porte et la grille de fer de la villa.

Ils ne se reverront jamais. Les parents le savent très bien. Ils savent, comme on peut savoir cela, qu'ils vont mourir.

Rivka a donné aussi d'autres consignes. En sortant, Jenny doit immédiatement aller rue Monge, à Paris, prendre des nouvelles d'un petit cousin dont la mère a sûrement été arrêtée.

Elle reste un moment devant la grille de la maison du 5, rue Louis-Besquel. Comment s'éloigner de ceux qui sont de l'autre côté ?

Je passe prévenir Monique, et puis je prends le métro. Je monte dans le dernier wagon, le wagon réservé aux Juifs depuis le 8 juin.

Je ne suis pas dans mon état normal, c'est sûr. Une somnambule mal peignée, la tête vide, les yeux secs, la respiration coupée.

Quelqu'un me dit : asseyez-vous mademoiselle. Rien d'autre. Il a compris.

Rue Monge, je trouve mon cousin. Il a huit ans, il n'a pas été arrêté. C'est aussi cela, le libre arbitre des flics. Il va bien, il est chez la concierge, je rentre à la maison.

Je dis à Jenny : c'est étrange, j'ai lu un entretien où tu disais l'avoir emmené avec toi ?
Elle hésite. Je ne sais plus. Je ne suis plus très sûre. L'ai-je emmené, l'ai-je laissé ?

La mémoire des autres je l'imagine stable et sûre, autant que la mienne est incertaine. Si elle ne sait plus, comment décider ? Nous repassons chaque moment au crible de nos certitudes, nous énonçons les faits avérés :
La sœur de Rivka, la mère de ce petit garçon, a été emmenée elle aussi à Drancy, elle en est revenue le 24 juillet, après l'intervention de son patron, celui qui fabriquait des parkas pour l'armée allemande. Il a obtenu qu'on libère cette travailleuse dont il avait besoin.

Elle a été sauvée grâce à maman qui m'a dit d'aller voir cet homme, de l'alerter.
J'y ai couru. Il m'a répondu que oui, en effet, il avait un besoin impérieux de toutes ses ouvrières pour fabriquer les manteaux en peau retournée destinés aux soldats allemands envoyés sur le front de l'Est. La tante a été

libérée le 24 juillet, elle a échappé au convoi du 27 juillet. Elle n'est pas retournée chez son patron, elle a filé avec son fils, et s'est fait embaucher comme femme à tout faire dans une famille catholique du XVIe arrondissement, et elle y est restée durant toute la guerre. Je ne l'ai plus revue, jamais.

Le regard de Jenny s'éclaire.

Cela prouve que mon cousin est bien resté rue Monge. Je ne l'aurais pas gardé huit jours, et puis la tante serait passée le chercher à sa sortie de Drancy et je m'en souviendrais.

J'ai aussi écrit au patron du chantier qui employait mon père, mais lui, il n'a rien fait.

À la maison, je trouve la concierge en train d'ouvrir les tiroirs, de fouiller partout.

Elle a pensé : il n'y a plus personne, je peux y aller.

Elle a souvent entendu ma mère dire que les clés des armoires étaient dans la cloche. Alors elle cherche une cloche. Elle est persuadée, cette imbécile, qu'il y a des trésors dans les armoires. Les Juifs comme chacun sait. Mais, quand nous ouvrons la porte, elle n'a encore rien trouvé. Ce que ma mère appelait la cloche c'était un fourre-tout, un vase à fouillis qui se trouvait dans l'entrée juste sous son nez.

Quand on a ouvert la porte, elle a crié : qu'est-ce que vous venez faire là ? Il y avait de la peur et de la colère dans sa voix.

J'ai dit : eh bien on rentre !

Elle n'a pas demandé son reste, elle a filé.

Elle n'a jamais pu supporter qu'on l'ait surprise. Elle nous a haïs pendant les deux années restantes. C'était tout à fait réciproque.

Jenny ne nomme pas cette femme, et je suis tentée de chercher son nom, pour l'écrire. Ce serait facile. Je ne le fais pas. Je respecte à regret l'élégance de mon amie.

Vivez et espérez

Toute ma vie j'ai séparé les gens en
deux groupes, dit Jenny en repensant à ces
journées, à l'homme du métro, au soldat
allemand ou à la boulangère de l'avenue de
la Villa qui acceptait sans moufter les faux
tickets de pain. Il y a ceux qui comprennent et
les autres. Les autres. Elle n'épilogue pas.

La concierge. La tante qui est venue récla-
mer plus tard les draps du grand lit qui ne ser-
viraient plus. La charcutière qui hurle ce n'est
pas ton heure, tu n'as rien à faire ici. Ceux qui
détournent le regard. Et Mulot.

Ceux qui comprennent ne sont pas les plus
nombreux.

Ses yeux s'embuent, elle se ressaisit et
reprend son récit.

Nous nous sommes retrouvés seuls à la maison, mon frère et moi.

Maurice a deux ans de moins que moi, j'exerce sur lui une autorité qu'il déteste. Je suis l'aînée, je suis une fille. Je me sens responsable, il se sent infantilisé et brusqué.

Nous avons tout pour ne pas nous entendre.

Entre le 16 et le 27 juillet, j'écris à Drancy plusieurs fois par jour.

Et je reçois des réponses. Les cartes-lettres sont des rectangles de mauvais papier standard, dont le contenu peut être rejeté par le contrôle du camp.

Veux-tu voir une carte-lettre?

Jenny se lève et elle glisse vers un placard où sont rangés les documents, les papiers, les coupures de journaux, les photocopies, les lettres, les dossiers.

Tu es une véritable archiviste, dis-je, songeant à mon grand-père qui classait ainsi les traces de nos vies, les dessins, les lettres, les bulletins, les photos. Mon grand-père rangeait tout, moi je ne le fais jamais.

Pour d'obscures raisons de paresse, par goût pour la légèreté, je jette les objets et les papiers comme on déleste une montgolfière de ses sacs de sable pour ne pas s'écraser.

Tenir le compte de ce qui a été, de ce qui a eu lieu, avec précision, c'est l'affaire de ma voisine.

Les lettres ne sont pas des lettres, plutôt des cartes postales toutes faites, écrites au crayon à papier.

Sur la carte-lettre tamponnée 27 juillet on lit distinctement :

On part demain, ne nous envoyez plus rien.

Nous sommes en bonne santé pour partir travailler.

Les courriers sont totalement faux, bien sûr.

Je reste silencieuse devant cette phrase parfaite où tout est mensonge.

Mais moi je mens aussi, remarque Jenny. J'écris des : on va bien, on mange bien, on dort bien, ne vous inquiétez pas. Je n'écris pas pour donner des nouvelles mais pour les rassurer.

Ainsi, pendant cette semaine, la plus terrible peut-être de ma vie, nous écrivons-nous sans cesse pour ne pas dire la vérité. Ils écrivent : tout va bien, soyez sages, et j'écris tout va bien, on vous attend. Notre profonde vérité : mentir.

Je continue d'écrire après le 27 juillet, mais les lettres reviennent.

J'arrête d'écrire.

Ils sont sans doute partis le 27. Ou peut-être le 24. Je ne l'ai su que bien plus tard, à la fin de la guerre.

Le jour même, dans le train qui les emporte, maman et lui, mon père écrit au crayon sur un bout de papier. Il écrit l'adresse au verso du papier ; il le glisse par les interstices du wagon derrière un pylône. Il réussit à le glisser derrière ce tuyau, dans l'espoir que quelqu'un trouve et nous transmette ce bout de papier minuscule et gribouillé au crayon, malgré la pluie, malgré le vent, le passage des trains, les vibrations des rails.

Dans l'espoir absurde qu'il arrive jusqu'à nous.

Un cheminot ramasse avec soin le bout de papier, il le ramasse avec délicatesse, il le met dans une enveloppe et l'envoie à une adresse qu'il parvient mal à déchiffrer. Les cheminots savent que les personnes déportées, transportées dans ces trains à bestiaux tentent de dire adieu aux leurs.

L'homme croit lire :
Famille Ploki
32 avenue de la ville à Vinllous.

À la poste, ils ne savent à qui envoyer l'enveloppe indéchiffrable, alors la lettre part aux Rebuts.

Et là-bas, ils réussissent à reconstituer l'adresse.

Vers la fin août, quelqu'un apporte chez nous cette enveloppe jaune.

La lettre a mis un mois pour nous atteindre. Ils n'avaient sûrement pas que ce rébus à déchiffrer, aux Rebuts.

À l'intérieur, un bout de papier. Les caractères partent un peu dans tous les sens, mon père a écrit en s'appuyant à la paroi du train, en résistant aux secousses.

C'est écrit en yiddish, je le sais, même si je ne l'ai pas appris, dit Jenny. Mes parents se parlaient toujours en yiddish quand ils ne voulaient pas qu'on les comprenne. Nous savions des chansons, mais nous ne parlions pas vraiment.

Jenny se tait. Elle réfléchit.

J'ai mis presque quarante ans à décider de faire traduire ces mots, je voulais qu'ils restent ainsi. Et puis j'avais peur que le papier soit abîmé. Il faut traiter cela avec précaution. C'est étonnant, un objet si fragile et si résistant.

Je suis allée voir un homme que je connaissais et qui lisait le yiddish.

Il a travaillé longtemps, comme un détective ou comme un horloger, penché sur le bout de papier sale, sur les syllabes de ce rébus, il a reconstitué le message. Les mots en biais, les gros et les petits, écrits en désordre, dans le noir, dans les cahots.

J'ai toujours le papier, dit Jenny.

Parce que partout il y a des gens qui comprennent.

Jenny sort de la cuisine où nous prenons un thé, un courant d'air froid balaie la pièce, elle rapporte plusieurs enveloppes en papier kraft, elle fouille une enveloppe, ses doigts s'embrouillent au fond, elle sort un bout de papier écrit à la fin du mois de juillet 1942, elle dit : ce doit être le 24 ou le 27 juillet 1942, c'est vraiment terrible de ne pas savoir exactement.

Le 24 juillet il y a eu un départ, celui du dixième convoi de déportation du camp de Drancy vers Auschwitz, mille personnes ont été déportées, quatre sont revenues.

Le onzième convoi est parti le 27. À bord, à nouveau, mille personnes.

Douze ont survécu.

Mes parents quittent Drancy, le train de marchandises roule vers Auschwitz. Mais sont-ils dans le même convoi ? Certains indices montrent qu'ils ont été séparés en arrivant à Drancy. Quelqu'un a vu là-bas mon père sans ma mère.

Pourtant ils sont partis ensemble. Oui, le papier le prouve, sauf si mon père a menti, mais pourquoi l'aurait-il fait ? Pour nous rassurer ? Comment savoir ce qui traverse l'esprit d'un homme ?

Comment un papier résiste-t-il au passage du temps ?

Il y a des gens qui comprennent l'importance d'un bout de papier, la valeur inestimable d'une adresse en français, mal recopiée.

Je me demanderai toujours comment mon père s'est procuré un bout de crayon, pourquoi

il a écrit en yiddish ? Et quel est ce mot man-
quant qu'on n'a pas pu transcrire ?

C'était impossible sans doute d'écrire en
français.

En tout cas ce sont les mots qui lui sont
venus.

> *Zayt ruhik kinder*
> Soyez tranquilles les enfants
> *Mame un ikh*
> Maman et moi
> *Mir forn avekh*
> Nous partons
> *Tsuzamen tsu*
> Ensemble
> *Papa*
> *Lebt un hoft*
> Vivez et espérez.

Le printemps du crachat

Après le 24 juillet, Monique part en vacances.

C'est le coup de grâce, un choc et une perte terribles. Le sol s'effondre sous mes pieds.

Seule.

Monique est la personne la plus fiable du monde. L'incarnation du mot Amitié. Une personne solide et bonne, dont la vie a filé comme celle de Jenny, jamais loin, en une sorte de destin parallèle, elles ont navigué de conserve sur une eau souvent mauvaise à boire, mais n'ont jamais, en presque quatre-vingts ans, cessé de parler ensemble.

Cette défection est une épreuve terrible, et Jenny ne peut rien faire d'autre qu'attendre la rentrée. Ailes repliées, tout son être ramassé pour tenir, et résister.

Le mois d'août 1942 est un gouffre.

La rentrée a fini par arriver, quand je ne l'attendais plus, dit Jenny.

La mère de Monique a décidé que je continuerais d'aller à l'école, elle m'a sauvée une fois de plus. J'ai pu refuser d'obéir à des amis de mes parents qui voulaient que j'entre dans un bureau comme secrétaire.

Je reste au 32, avenue de la Villa, dans notre logement, mais comment faire sans argent?

Pendant les deux premiers mois, je ne paie pas le loyer.

Sur le conseil d'une voisine dont le mari est prisonnier, j'ai écrit au gérant de l'immeuble que mes parents ont été arrêtés et que je bénéficie donc de la mesure qui dispense les femmes de prisonniers et les femmes de déportés de payer leur loyer. Si une loi s'applique aux épouses, a fortiori elle doit jouer pour les enfants.

Le 8 septembre je reçois une lettre :

Mademoiselle,
En réponse à votre lettre du premier septembre 42,

114

il m'est impossible de vous consentir une réduction, car le cas que vous me signalez n'est nullement prévu par la loi.

Je vous rappelle que le loyer a toujours été mal payé. Dès 1937 j'ai dû signifier son congé à votre famille.

Le gérant.

Je paie le loyer. La mairie nous donne une allocation mensuelle de deux cents francs. Le loyer justement c'est deux cents francs. J'ai payé jusqu'en juillet 1944. Le Débarquement a eu raison du gérant. À partir du mois d'août, il n'a plus réclamé, jamais plus.

Comment faisons-nous pour vivre ? Il nous reste les trois cents francs versés par l'U.G.I.F. aux enfants juifs dont les parents ont été déportés.

Et c'est tout. Je me débrouille. Maurice, mon frère, est embauché très vite comme apprenti chez un joaillier, un homme formidable.

Monique vient me voir en tremblant. Elle monte vite les marches, ne voit même plus les vitraux qui laissent passer la lumière dans l'escalier, elle ferme les yeux dans le tournant coudé du couloir, elle a peur.

Elle est sûre qu'elle va tomber sur des scellés. J'ai été arrêtée, elle en est sûre, c'est obligé.

Mais je lui ouvre. Je suis là.

Les flics ne sont pas revenus. Pourquoi ? C'est un mystère.

Nous vivons très repliés. Le minimum de mouvements.

L'année scolaire passe assez vite, et je ne me souviens pas d'avoir eu faim. Les gens disent qu'ils ont connu la faim. Moi je ne dirais pas cela, je n'ai pas de souvenirs de famine. Cela étonne, mais c'est vrai.

En revanche, l'été 1943 est dur, des journées vides. Il est évidemment impossible de partir. Heureusement il y a la bibliothèque du XIIe arrondissement. Mais il faut rentrer très tôt, à cause du couvre-feu, et c'est chacun chez soi. La peur, oui, est là. L'ennui. L'attente, surtout.

Début 1944, le joaillier qui emploie et loge mon frère depuis deux ans s'inquiète des risques grandissants que nous courons. Il envoie Maurice dans une famille à la campagne.

Je m'installe chez Monique. L'étau se resserre, le danger est à son comble. Je ne sors plus, ma copine m'apporte les devoirs, nous préparons notre bac. Nous travaillons comme des dingues, avoir le bac est un défi.

Un jour de printemps pourtant nous allons rue d'Assas, pour acheter des livres. Il fait beau. Je suis joyeuse. J'attends Monique dans la rue, je ne peux pas entrer dans la boutique, ce n'est pas l'heure.

Je regarde la vitrine. Une dame bien, une dame du quartier me regarde, elle crache par terre.

La mémoire procède par flashes. Le printemps 1944, pour moi, c'est ce crachat.

Le plus grand
des drapeaux rouges

Monique et moi, nous avons eu notre premier bac avec mention Assez Bien.

Nous l'avons passé le 18 juin, le jour du Débarquement.

En août, Paris est libéré. Nous sommes des badaudes comme tant d'autres, place de la Concorde. Des tirs éclatent, tout le monde se cache sous les chaises des Tuileries. Les jours filent, le lycée reprend. C'est tellement bizarre ce mélange dont est tissée la vie ordinaire, quand rien ne l'est.

Je cherche à avoir des nouvelles. Je cherche sans cesse à avoir des nouvelles de nos parents.

Et puis comme des milliers de jeunes gens, dans cet élan de la Libération, et parce que c'est le parti des Fusillés, j'adhère au Parti communiste.

Dans la cellule de Vincennes, il y a un nouveau militant nommé Mulot.

Je vais à une réunion, et là, assis à côté des autres, il y a le flic, dit sobrement Jenny. Il ne vient pas très souvent. En tant que flic, il a des obligations. Mais il vient. Il est membre.

L'homme qui les a arrêtés, ce type responsable de la mort de ses parents. Jenny ne l'appelle presque jamais Mulot. Elle dit : le flic.

Elle va voir le responsable de cellule.

Une jeune fille vibrante face à un militant impavide.

Il a rendu des services à la Résistance, peut-être, mais c'est lui ou moi.

Jenny se tait un moment. Son visage se fige. Un fin sourire de Joconde s'y dépose. Comme si elle ne pouvait pas exprimer autrement le dégoût qu'un humain inspire à quelqu'un qui a choisi de faire confiance aux êtres.

Une sorte de grimace furtive passe sur son visage.

Un peu plus tard, mon frère se rend au commissariat pour faire changer sa carte d'identité. Enlever ce tampon : Juif.

Mulot est de permanence ce jour-là.

Il reconnaît Maurice, il le reconnaît instantanément, nous avons été voisins, sur le même palier, pendant des années. Il lui dit :

Je ne peux pas changer ta carte d'identité, tu es mineur, il faut que tes parents viennent.

La banalité incompréhensible du mal est tout entière dans cette phrase.

Pour célébrer la victoire, on nous demande de pavoiser nos fenêtres de patriotes. Nous, nous voulons un drapeau rouge. Le plus grand possible. Le plus beau. Cela se passe chez Monique, bien sûr.

Nous achetons un flacon de teinture et nous plongeons dans la lessiveuse un grand drap usé. Le résultat n'est pas très rouge, mais nous séchons le drap, et nous dénichons un bâton. Voilà le drapeau suspendu à la fenêtre du premier étage. On voit beaucoup de petits drapeaux tricolores, mais pas tellement de grands drapeaux rouges.

Parfois, en passant devant une maison, je me demande qui vit là : il y a un si beau drapeau.

À l'automne 1944, il y a des files d'attente partout, pour tout. Les F.F.I. arrivent pour canaliser les gens, rétablir un peu d'ordre.

Je me souviens d'un chariot avec une femme dedans, et tout autour des gens terriblement excités. L'image des femmes qu'on va tondre donne la chair de poule. La Libération est un moment qui devrait être joyeux mais qui est plein de tensions, de méfiance, je me sens plus seule que jamais, j'attends. En apparence, je révise mon bac et mon brevet supérieur mais au fond de moi, j'attends. Je ne fais que cela. Les mois passent. À partir de janvier 1945, qui est la date de la libération du camp d'Auschwitz-Birkenau, je guette.

Aucune nouvelle.

Un de mes oncles rentre de l'Oflag où il était prisonnier de guerre, il a déclaré en y arrivant qu'il n'était pas juif, il a dit qu'il parlait allemand, alors qu'il parlait yiddish, ce n'était pas malin mais il s'en est sorti.

Il vient à la maison, il est très sûr de lui. Il lui paraît naturel d'être notre tuteur. Il lui paraît naturel de nous considérer comme des orphelins.

Je ne veux rien de lui, je n'accepte pas sa dureté, son indifférence. Je résiste aussi à cette tante qui veut récupérer les grands draps du lit des parents et je ne sais plus quoi encore.

Je ne leur en veux pas, je veux simplement ne plus jamais les voir. Je n'ai rien à partager avec ces personnes.

J'en discute avec Monique. Comment faire pour échapper à cette famille, la mienne, qui ne m'a pas donné signe de vie pendant tous ces mois ?

Nous allons à la mairie avec sa mère que j'appelle tantine. Cette femme m'a sauvée tant de fois, juste comme ça, naturellement. Elle devient ma tutrice.

Au début de l'été 1945, nous passons notre bac et le brevet supérieur. Et nous sommes reçues.

À Vincennes, la mairie me décerne un prix de vertu en prime.

Jamais je n'irai le chercher, cette hypocrisie me révolte.

Je rôde autour du Lutetia.

J'y vais souvent, et puis je cesse d'y aller. J'ai enfin compris que ce n'était pas la peine. Personne ne reviendra.

Quand même, dit Jenny, pensant à haute voix, avec le Parti communiste, ça dure encore pendant un ou deux mois, je retourne aux réunions. Mais nous ne nous sentons pas bien, ma copine et moi.

Le plus terrible, ce n'est pas qu'on nous donne des ordres, c'est ce chauvinisme insupportable. Je suis convaincue qu'on doit s'entendre avec tous les autres peuples. J'achète *l'Humanité* et je cherche des raisons d'espérer. Je discute, je ne suis pas d'accord avec le slogan «À chaque Parisien son Boche». Je dis aux camarades que j'ai connu des militants allemands qui étaient des gens extraordinaires. Le camarade responsable de cellule me fait taire et me dit que quelqu'un de la Fédération va descendre pour m'expliquer les choses.

Un camarade débarque dans notre cellule. Il dit: il y a une trotskiste ici. Comme il dirait une nazie, une ennemie du peuple.

Et même si je n'ai aucune idée de ce que cela veut dire, je comprends qu'il parle de moi. Je m'en vais. Je cherche ces fameux trotskistes que je ne connais pas et dont je suis pourtant. J'en rencontre sur le boulevard Saint-Michel, à l'angle de l'ancien café Cluny. Un carrefour historique, poétique, que le tourisme a défiguré. J'achète chaque fois que je le peux *la Vérité*, leur journal, à des militants du P.C.I. Et je le lis avec soin. Des camarades m'expliquent alors qu'il faut que j'adhère à l'organisation. Et ils me donnent des brochures à lire. Ils ont la mauvaise idée de me passer un texte de Léon Trotsky sur le communisme de guerre. Le communisme de guerre n'est qu'un autre nom pour dictature, pour violence. S'il faut supprimer la démocratie chaque fois qu'il y a du gros temps, jamais le peuple n'aura le pouvoir. Si c'est ça la révolution selon les trotskistes, je n'en suis pas. Mais où aller ? Comment agir ? Je rejoins le groupe de Cornelius Castoriadis et Claude Lefort. Socialisme et barbarie.

La vie s'est ouverte en grand

À cette époque, grâce à un ami, Roger Hessel, le frère de Stéphane Hessel, je découvre les auberges de jeunesse. J'adhère au mouvement des A.J. Ce sont des jeunes gens qui souvent ont été résistants : ils n'étaient pas suspects aux yeux des nazis, qui y voyaient une organisation de jeunesse tournée vers le sport et la nature. Jouant longtemps double jeu, ils ont pu faire des choses magnifiques. Nombre d'entre eux ont été déportés, nombre d'entre eux sont morts. C'est, en 1948, une organisation qui allie l'esprit de 36 et le goût des vacances partagées, entre jeunes gens. Un monde joyeux peuplé de bicyclettes, où l'on s'habille en short, chemise retroussée aux coudes, aux pieds des grosses chaussures, à la bouche les chants de marche et les chants révolutionnaires, les chants traditionnels et les chansons d'amour.

Pendant qu'elle me raconte les cabanes, les maisons qu'on retape, les feux de camp, les prairies, les torrents où l'on se plonge en criant, me revient un poème de Marina Tsvetaeva,

Le matin clair, pas trop chaud,
On peut traverser la prairie en vêtements légers.
Une péniche passe lentement
En descendant l'Oka.

Sans le vouloir tu alignes et répètes
Sans cesse quelques mots.
Dans la campagne des grelots tintent
Faiblement.

La vie s'est ouverte en grand, mais pourtant…
Ah, journées dorées !
Comme elles sont loin, mon Dieu !
Seigneur, comme elles sont loin !

J'ai adoré cette vie, rêve Jenny.

Une vie où l'on agit conformément à ce que l'on croit. Où l'on pense en agissant. Le cinéma et le théâtre étaient le centre de nos existences. J'ai toujours eu besoin de sentir que dans la vie de tous les jours j'appliquais plus ou moins les règles et les idées qui étaient miennes. On inventait nos vies, et c'était délicieux. Filles et garçons ensemble.

Quand arrive le samedi après-midi, on part en randonnée, on chante, on marche, sac au dos et grosses chaussures, on entretient les maisons où on passe le dimanche, on bricole, on danse, on organise souvent des fêtes, on part en voyage, on rencontre des gens du monde entier.

L'Italie est le centre du monde. L'Italie des années cinquante. Jenny a vingt-deux ans, elle découvre le vent dans les cheveux, la beauté de l'Italie, l'Adriatique, Rome, Pompéi. Elle est enceinte, comme Rivka disait. Elle subit un avortement qui tourne mal, parce que c'est clandestin. Nous avons vite oublié les souffrances des jeunes filles d'avant la loi Neuwirth, d'avant la loi Veil, quand la contraception et l'avortement interdits faisaient du bonheur amoureux des jeunes filles un piège sournois dont les mâchoires se refermaient à tous les coups. La punition avait un tas de noms, salpingite n'était pas le moins charmant. Ni stérilité.

Jenny parle vite, pour se débarrasser de ces considérations personnelles. Revenir au groupe. Au bien commun. À la vie des autres. Elle énonce :

C'est à ce moment que je rencontre Jean-René Chauvin. Je l'ai déjà vu à des réunions, mais nous ne nous sommes guère parlé. C'est un très beau gars. Un peu moins beau que son père, René Chauvin, un coiffeur et un militant guesdiste qui, en 1897, a été élu député de la Seine. Le père Chauvin n'a pas été réélu la fois suivante, alors il a retrouvé ses outils, son peigne et ses ciseaux, et il redevenu coiffeur, jusqu'à sa retraite.

Ça la fait sourire, toute cette beauté virile, cette élégance.

Nous nous sommes vraiment connus en Italie, et plus jamais nous ne nous sommes quittés. C'était l'été 48.

Et même si nous nous disputons souvent, parce que Jean-René est trotskiste, adhérent du P.C.I., et moi pas, nous partageons les mêmes espoirs et sur l'essentiel nous sommes profondément d'accord. Jean-René est un militant dans l'âme, dont la vie est un enchaînement implacable de lectures et de réunions.

Nous voyageons pendant nos vacances. Nous allons en Grèce, en Algérie, nous retournons encore et encore en Italie. Nous prenons le train, ou le bateau. Nous faisons du stop. Nous nous émerveillons de toute cette beauté. Les mosaïques de Ravenne me laissent un souvenir inaltéré. Et puis Jean-René a des amis partout. Nous faisons des rencontres extraordinaires, nous parlons, nous marchons, nous nageons.

La vie d'après-guerre se boit à grandes gorgées.

Ce n'est pas seulement le hasard qui a réuni ces deux-là.

Jean-René Chauvin a été arrêté le 15 février 1943 dans une rafle. Membre d'une organisation trotskiste fondée par Pierre Naville et nommée le Parti ouvrier internationaliste, il a accompli depuis le début de la guerre de nombreux trajets de la zone occupée vers la zone libre, il est chargé des liaisons entre Yvan Craipeau, David Rousset et Marcel Hic. Capturé par la police française, il est incarcéré à la prison de Fresnes, puis livré à la Gestapo et torturé. Il va passer deux ans dans les camps. Mais quand le train qui le déporte quitte la gare de Compiègne, il n'a aucune idée de ce qui l'attend.

«Je me suis toujours demandé pourquoi nous, les militants, qui étions parmi les mieux informés, l'étions si peu. On ne peut cependant pas dire que les informations nous manquaient, l'émigration allemande antinazie n'avait cessé de nous alerter.»

Cet aveuglement est une question qui reste posée.

Jean-René Chauvin arrive le 21 avril 1943 dans le camp de Mauthausen. Là, il est déclaré bon pour le kommando du Loïbl-pass, chargé de creuser dans la chaîne des Karavanke un tunnel stratégique entre l'Autriche et la Slovénie. L'été puis l'hiver 1943 sont terribles, mais il tient le coup.

Avec tout un groupe, il est transféré ensuite à Auschwitz. Ils arrivent à la mi-novembre 1944, et sont affectés au dur travail de la mine de Jawiszowice.

Mais en janvier, l'évacuation d'Auschwitz commence. Une nouvelle marche de la mort, en rang par cinq. Soixante mille déportés marchent et meurent par moins vingt degrés dans l'immense plaine glacée.

Celui qui tombe est abattu.

Jean-René Chauvin se retrouve à Buchenwald, au bloc 57 de quarantaine.

Enfin, après une ultime et atroce marche forcée, il est emprisonné à Leitmeritz, un des derniers camps libérés par l'armée russe en Tchécoslovaquie.

Il revient à Bordeaux en mai 1945.

Il est tuberculeux, méconnaissable, mais vivant.

Pour lui, comme pour Jenny, l'univers concentrationnaire est la question indépassable du vingtième siècle. La butée de toute pensée. Leur présence sur la Terre s'arrime à l'existence des camps. Les camps nazis et les camps staliniens. La compréhension de ce qui s'y est joué. Les logiques de l'extermination. Ils en parlent sans fin avec des camarades qui se nomment David Rousset, Emile Copfermann, Maurice Nadeau, Cornelius Castoriadis dit Chaulieu, ou Claude Lefort. Tous des militants et des philosophes, des intellectuels exigeants et inquiets pour qui l'engagement est un pilier de la sagesse.

Socialisme ou barbarie : le dilemme n'est pas dépassé. La question que posait Rosa Luxemburg est toujours d'actualité.

Jean-René rechigne à écrire ses Mémoires, et encore plus ses Mémoires de déporté. Son horreur de l'étalage intime, du parler-de-soi, le tétanise. Sa méfiance devant la vanité le pousse à lire encore et encore. Étudier toujours davantage pour se convaincre qu'il n'a rien à ajouter à ce qui a été écrit.

Il publie finalement en 2006 un livre qu'il intitule, avec un humour caustique, *Un trotskiste dans l'enfer nazi*. Il n'y parle quasiment que des autres, n'omet jamais le nom d'un camarade, se méfie tant de l'auto-apitoiement qu'on finit par oublier où il se trouve. Par oublier les tortures, le sadisme, les poux, le froid, la famine, les gens qui tombent, une balle dans la tête ou dans le dos, juste comme ça. Mais la bravoure et le sens de l'honneur colorent chaque page.

Jean-René Chauvin les dissimule derrière ses théories. Son art du récit est un art de la distanciation. Et les violences des bourreaux, il prend un plaisir visible à les nommer dédaigneusement « les petites misères ».

Son explication de son extraordinaire résistance est la suivante : J'étais une petite brute politisée, endurcie par le divorce de mes parents. Une force de la nature. J'étais né en 1918, j'avais vingt-cinq ans et une énergie vitale inépuisable.

Quelle phrase épatante. Quelle bonne et belle et respectable manière de parler de soi et des actes de bravoure qu'on a commis. Parce qu'on était tout bêtement une petite brute politisée, endurcie par le divorce de ses parents.

L'énergie communicative de Jean-René Chauvin me fait penser à Rudolf Vrba, un jeune Juif tchèque interné lui aussi à Auschwitz de juin 42 au 14 avril 44.

C'est sûrement en pensant à Jean-René que Jenny a traduit son unique livre : *Je me suis évadé d'Auschwitz.*

Rudolf Vrba s'appelle en réalité Walter Rosenberg.

Petite digression, combien de fois ai-je écrit : « s'appelle en réalité » ? Le premier nom, le nom d'avant enfoui, effacé, est au cœur de toute cette histoire de cent façons différentes.

Zinoviev, par exemple. De son vrai nom : Ovseï-Gerchen Aronovitch Radomylski-Apfelbaum. Je voudrais tirer quelques conclusions de ce nom inouï, mais je n'en trouve aucune.

Mais revenons au récit autobiographique de Rudi Vrba, cette force de la nature, qui joue un rôle si important dans la vie de Jenny.

Parce que c'est un jeune homme qui, contrairement à ses parents à elle, s'est évadé et a pu raconter tout ce qu'il avait vu. Parce que c'est un jeune homme comme Jean-René, qui, lui, ne veut pas mettre son enfer par écrit.

Et enfin parce qu'elle peut prendre sa place à elle, une place juste, en traduisant le livre, en le faisant passer. La question de la fidélité est toujours inscrite en filigrane dans l'engagement du traducteur.

Rudi Vrba naît le 11 septembre 1924 en Tchécoslovaquie. Lorsque les lois antijuives sont instaurées, il est exclu de son lycée. À l'âge de 17 ans, en mars 1942, il décide de rejoindre l'armée tchécoslovaque en Grande-Bretagne, en transitant par la Hongrie et la Yougoslavie. Parvenu à Budapest, il est arrêté et interné au camp slovaque de Novaky. Il réussit à s'en évader mais il est repris.

Il est alors immédiatement déporté vers Majdanek, à côté de Lublin, en Pologne, le 14 juin 1942. De là, il est transféré fin juin 1942 au camp d'Auschwitz, avec quatre cents Juifs slovaques. De camp en camp, comme Jean-René.

D'août 1942 à juin 1943, il est obligé de travailler dans l'unité qui trie les bagages et vêtements des victimes, dans ce lieu qu'on nomme Canada, et qu'il appelle les grands magasins du camp. Le lieu de toutes les mafias, de tous les trafics, des enrichissements insensés. C'est là que se déroule une des scènes les plus saisissantes du livre.

À l'été 1943, il est affecté, comme prisonnier, à un poste de secrétaire du camp de quarantaine pour hommes, à Auschwitz-Birkenau où il peut rencontrer les Juifs tchèques issus de Terezin. Il collecte une masse d'informations sur le génocide en cours et les plans des nazis. Il comprend qu'une nouvelle ligne de chemin de fer est mise en place pour l'arrivée et l'extermination des Juifs de Hongrie. Il décide de s'évader.

J'avais une raison impérative de le faire, dit-il. Ce n'était plus seulement pour faire le rapport d'un crime, mais pour empêcher un massacre évitable.

Le 14 avril 1944, Rudi Vrba s'évade, grâce à son intelligence, son audace, et avec son copain Fred, un champion d'échecs. Il y parvient après plusieurs tentatives inouïes et manquées qui donnent au livre les allures d'un roman au suspense intense.

Le 25, il remet au chef de la communauté juive de Slovaquie, Oskar Neumann, son rapport sur les camps d'Auschwitz, Birkenau et Majdanek. Un million de Hongrois vont mourir, plaide-t-il.

Prévenez-les maintenant, ils se révolteront.

Nous transmettons au docteur Kastner, le chef de la communauté des Juifs hongrois, lui répond-on.

Quelques jours plus tard, les wagons à bestiaux remplis de quatre cent mille déportés hongrois qui vont mourir traversent la Slovaquie.

La traduction m'a définitivement libérée, dit Jenny, à propos de ce livre presque insupportable tant il n'épargne aucun détail à ses lecteurs.

J'ai sans doute, bien tardivement, à travers ces pages, accepté l'assassinat de mes parents, page à page, mot à mot.

C'est un livre dicté à un journaliste, rédigé à la va-vite et pourtant d'une force immense.

Jenny Plocki et Lily Slyper ont énormément travaillé pour le rendre présentable. Il est bien plus difficile de traduire des phrases fougueuses mais imprécises qu'un texte rigoureux. Mais c'est un réservoir d'énergie, à l'image de son auteur. Un monument de vitalité.

Jenny sourit en y pensant : Jean-René qui l'avait lu à la bibliothèque du Mémorial – il connaissait tous les livres sur le sujet – me l'avait conseillé.

Il devait penser qu'après l'avoir traduit je cesserais de lui poser des questions.

C'est après cela que j'ai voulu aller à Auschwitz avec lui. En 1989.

Évidemment, c'était lié à son histoire.

Mais c'était autre chose aussi. La déchirure.

Je comprenais que ce voyage n'aurait plus le pouvoir de me tirer en arrière, de m'engloutir.

La visite ; ça a été dur. Je cherchais des signes de la présence de mes parents partout. Mais dans le camp principal, sur le mur des photos d'identité, ne figuraient que des Polonais. Et le mot Juif n'était pas écrit.

Ce qui m'a fait le plus de peine, ce ne sont pas les piles de chaussures, ni les montagnes de cheveux, ni les tas de valises, ni les milliers de lunettes, je voyais cela comme de la mise en scène, d'ailleurs les nazis trafiquaient les étiquettes sur les valises, on le sait bien.

Ce qui m'a bouleversée plus que tout c'est, dans leur nudité sinistre, les baraques, et surtout les châlits.

Bien plus tard encore, j'ai eu le courage de faire les démarches administratives pour savoir quel avait été le destin de mes parents à l'arrivée à Auschwitz.

Mon refus de regarder derrière moi, mon refus de mettre des mots sur la disparition, mon refus instinctif d'être aspirée par mon malheur a été dissipé par ce travail : la traduction.

J'ai écrit à un organisme allemand qui donnait aux personnes concernées des informations extraites des archives d'Auschwitz.

Après des mois d'attente, j'ai reçu une lettre m'indiquant que mon père était officiellement mort d'une crise cardiaque trois semaines après son arrivée au camp. Vers la fin du mois d'août. De ma mère, aucune trace. Rien.

Nous sommes alors en 2001. Je veux obtenir un certificat de décès. Commence un vrai parcours du combattant, on me renvoie de ministère en ministère, je vais à Bobigny, je passe d'innombrables coups de téléphone. À chaque fois une femme très désagréable me demande ce qui me rend soudain si impatiente, après avoir attendu si longtemps. Je devine le racisme masqué, mal masqué sous ses questions agressives.

Et puis un jour, un motard sonne à la porte. J'ouvre. Il me tend un papier. Vous êtes convoquée au commissariat. Je me demande bien ce qu'ils me veulent, Jean-René et un autre ami me proposent de m'accompagner. Je tiens à y aller seule.

Un commissaire charmant me pose les questions d'usage, me confirme qu'on ne me reproche rien, et reconnaît que l'antisémitisme n'a pas disparu de ses services. Bientôt j'ai mon certificat.

J'aurais pu l'utiliser pour obtenir des indemnités de l'Allemagne, mais je n'en voulais pour rien au monde.

Dans le métro

Ce jour-là, nous bavardons dans les couloirs du métro, nous parlons de nos stations favorites, de l'angoisse visible sur les visages, de la fatigue visible sur les corps, de notre connaissance ancienne des changements de ligne les plus malins. Nous circulons sous la terre.

Nous prenons machinalement des correspondances que nous connaissons par cœur, nous escaladons comme tout un chacun des escaliers qui n'en finissent pas, nous marchons au milieu de la foule aveugle et obstinée.

Pendant des années, dit Jenny, j'ai vu mon père au détour d'un couloir de la station Nation. Je le voyais, j'avançais, il souriait, et il disparaissait.

Nuchim Plocki, fantôme de la nation.

Puis il reparaissait un peu plus loin.

Tu souhaitais ces apparitions ? Tu les redoutais ?

C'était comme ça.

Notre patrie, c'est l'enfance

Jenny aurait voulu être archéologue. Elle aurait pu être une mathématicienne géniale. Elle proteste, quand je dis cela, mais je l'ai entendue cent fois regretter de n'avoir pas fait davantage d'études, au lieu de quoi elle a passé sa vie à apprendre à lire à des enfants ; elle y a mis toute son intelligence, toute sa passion.

Encore aujourd'hui, il lui arrive de prendre à son bord un enfant réticent.

Les livres sont les meilleures armes de la liberté. Et la liberté s'apprend. Dans une classe par exemple. Dans tes classes, dit une élève, on était libres de ne rien faire, et on travaillait comme des fous.

Quand je suis entrée dans l'enseignement, j'ai été suppléante pendant quatre ans, cela m'a permis d'observer des choses épouvantables, une brutalité que je ne peux pas supporter. Un autoritarisme idiot. Les coups de règle métallique sur le bout des doigts, le bonnet d'âne, les punitions, les humiliations qui apprennent aux enfants qu'il n'existe qu'une alternative : humilier ou être humilié.

Cet apprentissage de la loi du plus fort existait encore après la guerre. On apprenait aux enfants la peur du loup, la peur du gendarme, la peur du caïd.

La peur comme moteur moral, je savais ce que cela donnait comme résultat.

Je savais, après ces quatre ans de suppléance, tout ce qu'il ne fallait pas faire.

J'ai étudié et apprécié et adopté et diffusé la méthode globale d'apprentissage de la lecture parce que c'est un ensemble de façons de faire et de façons d'apprendre qui impliquent une vie dans la classe fondée sur le sens, sur la liberté, sur la confiance concrète dans l'intelligence des enfants.

À la place de la loi du plus fort, j'ai choisi l'apprentissage de la démocratie.

Monique est allée enseigner à Saint-Mandé, au sein de l'école Decroly, un établissement où l'on croit à l'autonomie des enfants, aux apprentissages globaux, à l'importance de la vie de classe. Des cousins Freinet plus radicaux.

Encore une fois, face aux méthodes traditionnelles, nous étions deux.

Cela nous donnait la force de résister à tout.

L'éducation nouvelle, qui a connu un essor énorme dans les années vingt, est l'objet des critiques de beaucoup de militants qui reprochent à Jenny de vouloir faire la révolution à l'école, au lieu de se consacrer au combat politique.

Ils ne comprenaient pas mon engagement. Me reprochaient de ne pas passer plus de temps en réunions, me conseillaient d'en passer moins dans ma classe.

Je n'ai jamais fait rien d'autre qu'appliquer, avec plus ou moins de réussite et de grâce, les principes auxquels je tiens. Les appliquer à la vie de tous les jours. Je ne crois à rien d'autre. La créativité partagée jour après jour, dessin après dessin. L'égalité entre les enfants, jour après jour, incident après incident. La lutte contre la peur, toutes les peurs, qui sont toujours peurs de l'inconnu et peur de l'autre et peur de soi-même et honte.

La hiérarchie illégitime : les inspecteurs, les directeurs, les petits caïds, ne m'ont jamais fait peur.

Je ne vois pas d'autre manière de préparer l'avenir. Lutter contre la peur, c'est si difficile.

J'écoute Jenny parler des enfants qu'elle a connus, qu'elle a influencés, à qui elle a appris à être courageux, curieux, libres et respectueux des autres, à qui elle a montré l'exemple, avec qui elle a joué à tant de jeux de société aujourd'hui disparus, à qui elle a appris à toujours poser des questions.

Je la vois dans la cour de la Sorbonne en 1968 aller à l'Assemblée générale du soir et demander à un dirigeant célèbre : que penses-tu de ce qui s'est passé autrefois à Cronstadt ? Le dirigeant agacé lui répond : ce n'est pas le sujet.

Elle revient le lendemain poser à nouveau la même question, inlassablement.

Poser les questions qui dérangent. Tout est là. Toujours. C'est l'essence de l'esprit d'enfance.

Dans le bureau de Jenny, des dossiers bien rangés, des dessins au mur, des chemises en carton de couleur témoignent de cette petite foule qui continue de l'accompagner en pensée.

Elle a eu des classes à Montreuil, à Puteaux, à Nanterre, et à Paris : rue Monge, rue Mouffetard, rue Meslay, rue Rollin. Et les autres que j'oublie.

Au 28 de la rue Saint-Jacques, il y a deux petites filles qui dessinent merveilleusement bien. Betty Baum et Tania Page.

Jenny est sûre que ces élèves seront des peintres célèbres, de grandes artistes. Cela se sent dans leurs dessins. Et quand elle découvre à la Hune une exposition d'œuvres de Tania Page, elle est fière, bêtement, et contente. Pas étonnée. Les dessins des enfants des autres, il faut un regard particulier pour les juger, les recevoir. Un regard enfantin et un regard de poète.

C'est sûrement ce qui plaît à Benjamin Péret quand ils deviennent amis, en 1948.

Il la surnomme ma gerboise, elle admire son courage, sa droiture, et ses poèmes.

Cet écorché vif, l'un des plus émouvants poètes surréalistes, ami loyal d'André Breton, a rejoint la colonne Durruti à Barcelone en 1936, puis il est revenu en France. Au début de la guerre, comme il est correcteur d'imprimerie, il ajoute des coquilles aux articles de journaux collaborationnistes. Puis il part pour le Mexique. Et revient en 1946.

Jenny le rencontre, elle a vingt-trois ans, et lui le double.

Pendant un an, ils se voient tout le temps. Et puis plus.

Elle repense à son grand rire, à son dégoût devant le déshonneur des poètes, devant la misère des hommes, cette terrible et éternelle misère matérielle et intellectuelle. Il est mort tellement jeune, il n'avait pas soixante ans.

Jenny n'a pas lu des poèmes de Benjamin Péret à ses élèves. Faut pas exagérer, dit-elle. Je leur faisais étudier Jacques Prévert, Tardieu, Desnos.

Et Claude Roy. Son goût de la liberté s'incarne dans ce poème que j'adore :

> *Léger, bien plus léger que l'air*
> *L'enfant est sourd à tout appel*
> *Il est déjà à saint nazaire*
> *Il oublie le pain et le sel.*

Jenny pense à tous ses minuscules élèves secoués par le vent de la vie.

Elle évoque la très timide Blanche que les autres enfants terrorisent, et qui veut que la maîtresse lui tienne la main sans cesse. Il y a aussi une autre enfant qui dit des gros mots et des obscénités, tant est violente sa colère. Hocine qui ne veut pas apprendre à lire, Joao qu'on appelle le Portugais et qui se bat. Anastasios qui apprend à lire tout seul, par déduction. Elle évoque les gosses algériens des années cinquante qui vivent dans des hôtels, les gosses d'après 68 qui jouent aux étudiants et aux CRS, mais personne ne veut être CRS. Les grèves, les jeux, les inspections qui ne l'ont jamais impressionnée.

Quand on les laisse libres, les enfants ont des tas d'idées à eux, ils inventent, ils ont la capacité de s'opposer, ils reconnaissent l'autorité légitime. Ce n'est pas un credo, c'est le résultat de dizaines d'années d'expérience, d'observations si nombreuses qu'on se demande comment il se fait que tant de personnes croient à la hiérarchie et à l'autorité.

Mais les humains sont ainsi faits qu'ils n'entendent simplement pas ce qui les dérange.

Moi, dit Jenny, j'ai aimé tout de suite appliquer mes convictions à ma vie en classe. Sinon, à quoi bon ?

Le merveilleux est partout, par tous les temps, de tous les instants, disait Benjamin Peret, et nous sommes aveugles.

L'école est un lieu où cela s'éprouve plus qu'ailleurs peut-être.

Donner aux enfants les moyens de leur liberté, c'est très concret.

La première chose que je fais, c'est afficher un plan du quartier, où nous plaçons ensemble les maisons de tous les élèves avec leurs noms. C'est une grande carte. Nous plaçons aussi la boulangerie, la boucherie, les autres commerces, les passages cloutés, ainsi nous savons où nous nous trouvons. Nous plaçons les autobus, leurs trajets, les arrêts, les monuments du quartier, les autres écoles.

Quand j'ai enseigné rue Rollin, cela nous a été très utile.

Un jour, la classe part au Jardin des Plantes, mais trois individus se perdent dans le labyrinthe. Deux gros idiots et un petit malin.

Nous sommes revenus à l'école, après les avoir appelés un peu.

Ils étaient rentrés tout seuls.

Ils connaissaient leur quartier, ils savaient lire les noms des rues à traverser, et la place des passages cloutés, ils savaient attendre le feu rouge. Ils avaient sans difficulté remonté la rue Lacépède, retrouvé la rue Rollin, le chemin de l'école.

C'est tout à fait possible à six ans.

Trouver son chemin toute seule, Jenny a-t-elle jamais fait autre chose ?

Pendant toutes ces années où elle est devenue une institutrice réputée dans toute la région parisienne et même bien plus loin, elle n'a jamais voulu d'autre classe que le cours préparatoire.

Il y a un avant et un après l'apprentissage de la lecture. C'est ce passage qui l'a toujours passionnée. L'inscription des lettres, des mots, du sens.

> *Tsuzamen tsu*
> Ensemble
> *Lebt un hoft*
> Vivez et espérez.

Vivez et espérez. C'est plus qu'un testament, un mantra.

Les souvenirs et les regrets aussi

Nous n'avons pas chômé, dit-elle. Les années cinquante et soixante ont été très agitées. La guerre d'Algérie succède à celle d'Indochine. Les grèves aux grèves.

Les manifestations aux manifestations.

Se constitue alors le réseau Jeanson. Le manifeste des 121 lancé par Maurice Blanchot et Dyonis Mascolo dit le soutien des intellectuels à la cause algérienne et leur solidarité avec le F.L.N. La lutte pour une Algérie indépendante, contre la guerre coloniale, contre la torture en Algérie occupe tous nos instants.

C'est un combat dangereux, qui rappelle évidemment à tous les années quarante si proches.

On faisait tout ce qu'on pouvait, on allait manifester autour de la prison de la Santé, on voiturait, on transportait. Notre immeuble a été plastiqué.

C'est le genre de chose que Jenny constate en cinq mots. Des plasticages, il y en a eu beaucoup d'autres. S'en vanter serait répugnant.

Le 17 octobre 1961, après la grande manifestation du F.L.N. qui se solde par des dizaines de morts, des centaines de blessés, des milliers d'arrestations et d'internements arbitraires de pauvres gens dont le seul crime est d'être descendus dans la rue, elle voit passer les autobus remplis de personnes arrêtées.

Ce sont les mêmes bus qu'en 1942, et la police est la même aussi. Et le préfet Maurice Papon est le même Papon qui fut nommé en 1942 secrétaire général de la préfecture de la Gironde, et y dirigea le Service des questions juives. Jusqu'en mai 1944, ses services recensaient les Juifs dans les hôpitaux, les sanatoriums et les maisons de retraite de la région de Bordeaux, et organisaient l'arrestation et la déportation.

L'histoire ne se débite pas en tranches de saucisson.

Jenny ne peut s'empêcher de rappeler quelle faute politique et humaine fut cet appel du FLN à manifester. Puis Charonne, le 8 février 1962. Ses grilles, ses morts. La violence. Encore Papon. Mais tout le monde sait cela, soupire Jenny.

Non, tout le monde oublie au contraire. Mais ce n'est pas l'objet de nos conversations.

C'est comme ça que j'ai rencontré Charlotte Delbo. Au milieu des années cinquante.
C'est un dîner comme bien d'autres, chez Isabelle Vichniac. Jean-René n'était pas là, il était à une réunion. Il méprisait les dîners.
À côté de moi une femme avec un numéro tatoué sur le bras. Je lui demande où elle a été déportée et je lui dis qui je suis. Elle répond à toutes mes questions avec vivacité et simplicité, dans son style direct et carré.
Je lui demande comment s'est passée l'arrivée à Auschwitz, forcément.
J'ai des amis qui sont revenus de Dora, d'autres de Ravensbrück, mais je ne connais personne qui soit revenu d'Auschwitz, à part Jean-René bien sûr, mais ils n'y ont pas souffert à la même époque.
Or, l'arrivée au camp, ce choc épouvantable, ce moment, je ne cesse d'y penser. Il y a un blanc à cet endroit, dans ma tête. C'est

comme si j'avais perdu de vue mes parents à cet instant-là.

Charlotte Delbo me raconte la descente du train, les cris bien sûr, et puis l'organisation du camp, les appels, les projecteurs, les chiens, les miradors, les baraquements, et les deux cent trente femmes de son convoi du 24 janvier 1943 qui ont chanté *La Marseillaise* en débarquant en enfer.

Ses souvenirs viennent nourrir les miens. Nous devenons amies.

Je viens souvent déjeuner chez elle quand elle est en France.

Son appartement rue Lacépède est à quelques mètres de mon école.

J'adore son énergie, son rire, son engagement de tous les instants.

Elle me manque.

Pour ne pas être tristes, nous parlons de Mai 68.

Un sujet aussi mal vu que la lecture globale.

Mais Jenny et moi nous avons aimé l'air que l'on respirait en 1968 à Paris, au Quartier latin. La Sorbonne occupée. L'Odéon. Vraiment occupés.

Certains disent que Mai 68 vit le triomphe du cynisme. Pas nous, qui continuons à croire à la force de l'intelligence, aux idées, et aux gens.

Les cyniques mots d'ordre de Mai c'étaient : Libérez nos camarades. Le premier. Le fondateur. Libérez nos camarades. Des gens se faisaient matraquer et emprisonner, renonçaient à leurs examens pour libérer leurs camarades. Ils criaient : Nous sommes tous des Juifs allemands. Ils ne se souciaient aucunement de leurs carrières, comme on l'entend sans cesse, quelle connerie, ni de leur avenir personnel. Ils étaient habités par leurs idées, par la solidarité, par un idéal, des émotions de pensée.

Et nous, un peu stupides, n'avons pas varié.

Le manteau de Stella

Sur la banquette et sous les étagères de livres consacrés à la guerre, au nazisme, à la Shoah, aux camps, au goulag, et au lao-gaï, est posé un long manteau en laine rouge, avec une grande capuche, une jupe virevoltante de patineuse, des poches pour les mains. Un manteau piqueté d'étoiles de diverses couleurs.

C'est un manteau pour Stella, dit Jenny, je viens de finir de le tricoter.

Tricoter avec des doigts engourdis, quand la chaleur a envahi nos rues et nos maisons ?

C'était une commande.

Quand Stella part en vacances, elle aime bien confier une mission à Jenny. Une mission impossible.

Un immense manteau à capuche de Chaperon Rouge, avec des étoiles, et un boutonnage fleuri.

Il est là. À plat sur la banquette. Attendant son arrivée.

J'en voudrais bien un, dis-je, sans y croire. Et j'ai raison.

Stella est, en cette année 2016, une petite personne qui apprend à lire et à compter avec sa grand-tante. C'est une personne très réfléchie, très résolue, qui aime gagner aux jeux de société, se faire raconter des livres, et s'entraîner à réciter les tables de multiplication. Elle aime passionnément celle qu'elle nomme Nini.

C'est un mini-tigre. Un tigre en manteau rouge désormais.

Invincible.

Avant elle, dit Jenny, j'ai élevé sa mère, Marine. Je l'ai aimée infiniment. C'est la petite-fille de mon frère. Je m'en suis toujours occupée.

Elle passait toutes les vacances avec nous.

Quand elle a eu douze ans, nous l'avons prise à la maison comme pensionnaire.

Et nous avons vécu ensemble tous les trois.

Récemment, Marine m'a demandé une chose étrange. Elle voulait que je lui donne le numéro de déporté que Jean-René avait sur le bras. J'ai songé à lui dire que je ne le savais pas, je ne l'ai pas dit : c'était stupide.

Elle avait décidé de se faire tatouer ce numéro sur son propre bras. À l'intérieur du poignet.

Pourquoi faire cela ?

Je me suis sentie coupable. Coupable d'exister ? Non. Bien sûr. Coupable de n'avoir pas su faire barrage. Mais à quoi ? Coupable aussi de ne pas comprendre un désir pareil.

J'ai essayé de la dissuader. Elle m'a dit qu'elle avait pris sa décision.

Je ne sais pas quoi en penser, dit Jenny, triste et très pâle.

Marine ne s'est jamais intéressée à l'historiographie des camps. Elle a peu lu. Elle n'a pas posé beaucoup de questions.

Bien sûr, elle adorait Jean-René, qui est mort il y a maintenant cinq ans. Et il l'adorait.

Il était plus sévère que moi, mais, quand nous étions séparés, il lui écrivait tous les jours. Une carte chaque soir, avec un dessin, qu'il portait à la poste. Jamais il ne parlait d'Auschwitz devant elle. Et je ne crois pas qu'elle ait lu son livre.

Cette carte de chaque soir me rappelle les lettres que tant de déportés destinaient à leurs enfants, des cartes dessinées enfouies au plus profond, ou le journal de bord que Jacob van der Hoeden, son père, a tenu pour sa petite Lieneke. Neuf carnets dessinés remplis de questions, de plantes d'herbier, de réflexions profondes, destinées à empêcher une petite fille de se sentir égarée.

Comment protéger les siens de la peur et du sentiment de faute ? Comment alléger le poids sur leurs petites épaules ? Comment faire pour que la vie soit plus forte ? Et la honte anéantie ?

Je ne voulais pas qu'elle se sente liée à tout cela, dit Jenny, anxieuse.

Et maintenant, un tatouage sur le bras. Celui-là.

Marine a seulement dit : comme ça, quand les gens me demanderont, je pourrai leur raconter.

Salle des Colonnes à Moscou

À Moscou, le 19 mai 1992, s'ouvre la première réunion officielle organisée par des zeks, d'anciens déportés des camps soviétiques regroupés dans une association nommée le Retour.

L'événement est solennel, il se déroule dans la splendide salle des Colonnes qui fut salle de bal à l'époque impériale, puis Maison des Syndicats à partir de 1917, et salle du tribunal sous Staline, qui y présida les procès de Moscou en août 1936, février et mai 1937 et mars 1938, et fit exécuter Zinoviev, Kamenev, Boukharine et tant d'autres pionniers de 1917.

Les trente colonnes de marbre, les lustres de cristal, les trois mille sièges, tout cela donne à la réunion un caractère officiel.

Les visages des participants qui sont venus de partout sont émus, tendus. Ils viennent témoigner de la manière dont on résistait dans le goulag. De la manière dont on créait, dont s'écrivaient poèmes et récits. Mais bien sûr, il s'agit de prendre une parole si longtemps bâillonnée. De comprendre.

Des samizdat circulent.

Une délégation est venue de France. Il y a Hélène Chatelain, une femme à l'énergie et à l'indignation inépuisables, cinéaste, écrivain, traductrice et passeuse de romans russes, contemporains ou non. C'est elle qui a rassemblé la petite bande qui prend l'avion en un beau jour de mai.

Il y a là Armand Maloumian, Jean-René Chauvin et Jenny Plocki, Emile Copfermann, Alexandre Guinzbourg, Germaine Tillion, Anise Postel-Vinay, Choumov, quelques autres, et un type inouï nommé Jacques Rossi, ancien des brigades internationales, qui a passé vingt-cinq ans au goulag parce qu'il a eu la mauvaise idée d'obéir à un ordre du Komintern.

Les dirigeants soviétiques le convoquaient à Moscou, après qu'il avait fait des prodiges pour atteindre Barcelone insurgée en 1937. Il obtempéra et fut immédiatement incarcéré pour trahison.

De toute manière, un ardent communiste finissait forcément au goulag, dit Rossi en rigolant, et en évoquant ses universités de bagnard.

Dans les couloirs de la Maison des Syndicats, le groupe rencontre des petits-enfants de socialistes révolutionnaires arrêtés en 1918, des enfants de paysans ukrainiens, des femmes biélorusses qui sont passées directement des camps nazis au goulag en 1945, quand l'Armée Rouge les a libérées, des enfants de Juifs lettons assassinés massivement par les nazis entre 1941 et 1945, et d'autres Baltes déportés en Sibérie en 1941.

Nous attendions cela depuis si longtemps, murmure Jenny.

Cela faisait presque cinquante ans que nous étudiions, réfléchissions aux mécanismes de la tyrannie, de la peur, des haines qu'on attise.

Ces conversations dans la salle des Colonnes étaient une revanche merveilleuse, une victoire de la pensée, de la démocratie, de la fraternité aussi. Une preuve tangible qu'on finit toujours par parler, par savoir. L'humanité est ainsi faite.

La ténacité, l'entêtement sont des vertus littéraires et politiques.

Évidemment, c'était dommage que si peu d'organisations d'anciens déportés aient répondu à l'appel.

J'aurais aimé que Charlotte Delbo soit de la bande, murmure Jenny.

Nous aurions étalé autour de nous les vingt petites brochures samizdat rapportées de Moscou, et énuméré ces noms, regardé ces visages, ânonné ces vers en cyrillique où nous distinguons quelques mots, *mi jivi*, nous sommes vivants.

Il faut traduire ces poèmes, disons-nous. Et longtemps, nous ne faisons rien, ne sachant comment procéder.

Les regards des déportés de la Kolyma, des Solovki cherchent le plus souvent au plus profond d'eux-mêmes. Mais Vladimir Mouraviev qui a écrit des élégies et des ballades en 1950 me regarde fixement.

Et j'ai honte de ma paresse.

Et d'avoir oublié les mots.

Charlotte Delbo est morte en 1985. Elle nous secouerait les puces, me dis-je.

Faites quelque chose de votre vie, de votre peau.

Jenny range les coupures de journaux, les brochures sont alignées sur un rayon de bibliothèque. Elles attendent. Elles sont là.

Des visages, des poèmes.
En voici un d'Elena Vladimirova :

> ... J'écris sur la vie dans les mines,
> les rations, les vestes ouatées trouées,
> le pouvoir brutal du poing.
> La tribu misérable des zeks.
> Ils sont des millions à peupler
> la journée muette de camps.
> J'écris sur une génération morte,
> sur des gens qui se sont tus à jamais.
> J'écris pour ceux qui sont vivants,
> pour qu'ils ne restent pas figés à leur tour
> en foule silencieuse et maussade
> devant la sombre porte de camps.

Je me demande pourquoi c'est tellement important pour nous deux ces rencontres de Moscou qui ont tourné court.

Parce que c'était une embellie dont il est essentiel de maintenir la trace ?

Ou pour ces mots recueillis, partagés ?

Lebt un hoft
Vivez et espérez.

Notes et remerciements

Merci à Florence Seyvos, Nadia Butaud et Alice Butaud, sans l'aide de qui je n'aurais pas écrit ce livre.

Merci à Olivier Cohen pour ses conseils, sa patience et sa générosité.

Merci à Valéry Kislov et Antoine Volodine, pour leur aide précieuse.

Un petit signe à Séléna, qui aime les livres, et à Stella, qui m'a accueillie et appris des jeux que je ne connaissais pas.

Bibliographie minuscule

Le livre de Jean-René Chauvin, *Un trotskiste dans l'enfer nazi*, est paru aux éditions Syllepse.

Le livre de Rudolf Vrba, et Alain Bestic, *Je me suis évadé d'Auschwitz*, est traduit par Jenny Plocki et Lily Slyper et publié au Livre de Poche.

Le livre de Panaït Istrati, *Vers l'autre flamme*, est paru en folio, Gallimard.

Les livres de Charlotte Delbo intitulés *La trilogie d'Auschwitz* sont publiés aux éditions de Minuit.

Je dois à Sandrine Treiner et Manya Schwartzman la phrase : Ne venez pas, nous nous sommes trompés (lettre aux siens, 1937). *L'idée d'une tombe sans nom*, Grasset, 2013.

Elena Vladimirova

Née en 1902 à Saint-Pétersbourg dans une famille d'aristocrates, Elena Vladimirova étudie à l'École des jeunes filles de la noblesse Smolny. Pendant la guerre civile, elle se bat du côté des Rouges et plus tard elle travaille comme journaliste. En 1937, elle est arrêtée en tant que femme d'un «ennemi du peuple» et envoyée en camp. Son mari, L. Syrkine, est fusillé et son unique enfant, une petite fille, Génia, meurt sur le front de Stalingrad.

Dans un camp de la Kolyma, Elena a adhéré au groupe clandestin prônant la lutte contre le stalinisme fondée sur les positions de Lénine, ce qui lui a valu une sentence de mort remplacée par quinze ans de bagne. Elle a passé en réclusion plus de dix-huit ans.

Pendant ses années de détention, elle a composé en cachette le grand poème «Kolyma» qu'elle a restitué de mémoire et envoyé aux délégués du XXe congrès du P.C.U.S.

Elle est morte en 1962.

Imprimé en France par CPI
en décembre 2016

Mise en pages MAURY IMPRIMEUR

Grasset s'engage pour
l'environnement en réduisant
l'empreinte carbone de ses livres.
Celle de cet exemplaire est de :
500 g Éq. CO_2
Rendez-vous sur
www.grasset-durable.fr

PAPIER À BASE DE
FIBRES CERTIFIÉES

Dépôt légal : janvier 2017
N° d'édition : 19699
N° d'impression : 3020599